CURSO DE ESPAÑOL PARA EXTRANJEROS

nuevo

intermedio

LIBRO DEL ALUMNO

Virgilio Borobio
Ramón Palencia

Proyecto didáctico
Equipo de Idiomas de Ediciones SM

Autores
Virgilio Borobio
Ramón Palencia

Diseño de interiores
Leyre Mayendía y Alfredo Casaccia

Diseño de cubierta
Alfonso Ruano y Julio Sánchez

Maqueta
José Ugarte

Fotografías
A. Laguna, M. Renaudeau, Olimpia Torres, S. Gutiérrez / MARCO POLO; Andrés García, Andreu Dalmau, M. Campbell / EFE; Bruce W. Heinemann; CMCD; Sofía Moro, CORBIS / COVER; DIGITALVISION; IFA / INCOLOR; INDEX; J. M. Navia; J. M. Ruiz; José Vicente Resino; Janis Christie; John A. Rizzo; Ketan, Raventos - Klein / PRISMA; Luis Castelo; MUNDO CAL; N. Sheik Valverde; Neil Beer, A. R. Lanz, A. R. Szalay / PHOTODISC; Oficina de Turismo de Puerto Rico; Paca Arceo; Patrick Clark; Pedro Carrión; Russell Illig; Scott T. Baxter; Sean Thompson; Sergio Salma; B. Parlov / SIPA PRESS; Xoan A. Soler; Sonsoles Prada; KEVIN PETERSON PHOTO; KOBAL; Javier Calbet; CARTESIA; Almudena Esteban; CD GALLERY; PHOTOLINK; Doug Menuez; AGE FOTOSTOCK; ORONOZ; Archivo SM.

Ilustración
Julio Sánchez

Coordinación técnica
Ana García Herranz

Coordinación editorial
Aurora Centellas
Susana Gómez

Dirección editorial
Concepción Maldonado

(edición corregida)

Este método se ha realizado de acuerdo con el Plan Curricular del Instituto Cervantes, en virtud del Convenio suscrito el 27 de junio de 2002.

La marca del Instituto Cervantes y su logotipo son propiedad exclusiva del Instituto Cervantes.

Comercializa

Para el extranjero:
Ediciones SM – División de Comercio Exterior – Joaquín Turina, 39 – 28044 Madrid (España)
Teléfono (34) 91 422 88 00 – Fax (34) 91 508 33 66
E-mail: internacional @ grupo-sm.com

Para España:
CESMA, SA – Aguacate, 43 – 28044 Madrid
Teléfono 91 508 86 41 – Fax 91 508 72 12

introducción

ELE intermedio

ELE intermedio es un curso comunicativo de español dirigido a estudiantes adolescentes y adultos de nivel intermedio, concebido con el objetivo de ayudar al alumno a consolidar y desarrollar su nivel de competencia lingüística y comunicativa.

Se trata de un curso centrado en el alumno, que permite al profesor ser flexible y adaptar el trabajo del aula a las necesidades, condiciones y características de los estudiantes.

Se apoya en una metodología motivadora y variada, de contrastada validez, que fomenta la implicación del alumno en el uso creativo de la lengua a lo largo de su proceso de aprendizaje. Sus autores han puesto el máximo cuidado en la secuenciación didáctica de las diferentes actividades y tareas que conforman cada lección.

Tanto en el libro del alumno como en el cuaderno de ejercicios se ofrecen unas propuestas didácticas que facilitan el aprendizaje del estudiante y lo sitúan en condiciones de abordar con garantías de éxito situaciones de uso de la lengua, así como cualquier prueba oficial propia del nivel al que **ELE intermedio** va dirigido (D.E.L.E., escuelas oficiales de idiomas, titulaciones oficiales locales, etc.).

El libro del alumno está estructurado en tres bloques, cada uno de ellos formado por cuatro lecciones más otra de repaso. Las lecciones giran en torno a uno o varios temas relacionados entre sí.

En la sección "Descubre España y América Latina" se tratan aspectos variados relacionados con los contenidos temáticos o lingüísticos de la lección. Las actividades propuestas permiten abordar y ampliar aspectos socioculturales de España y América Latina, complementan la base sociocultural aportada por el curso y posibilitan una práctica lingüística adicional.

Todas las lecciones presentan un cuadro final ("Recuerda") donde se enuncian las funciones comunicativas tratadas en ellas, con sus correspondientes exponentes lingüísticos y aspectos gramaticales.

Al final del libro se incluye un resumen de todos los contenidos gramaticales del curso ("Resumén gramatical").

así es este libro

Presentación:

Al comienzo de cada lección se especifican los objetivos comunicativos que se van a trabajar. La presentación de los contenidos temáticos y lingüísticos que abre cada lección (gramática, vocabulario y fonética) se realiza con el apoyo de los documentos y técnicas más adecuados a cada caso. En las diferentes lecciones se alternan diversos tipos de textos, muestras de lengua, diálogos, fotografías, ilustraciones, cómics, etc. La activación de conocimientos previos y el desarrollo del interés de los alumnos por el tema son objetivos que también se contemplan en esta fase inicial.

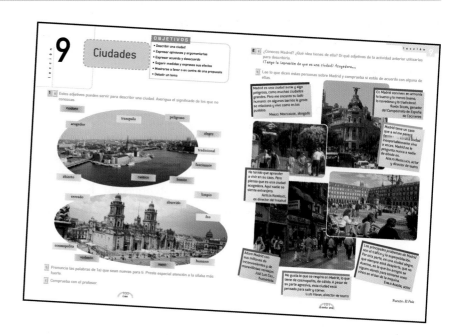

Práctica de contenidos:

A continuación, se incluye una amplia gama de actividades significativas y motivadoras mediante las cuales el alumno va asimilando de forma progresiva los contenidos temáticos y lingüísticos necesarios para alcanzar los objetivos de la lección. Muchas de ellas son de carácter cooperativo y todas han sido graduadas de acuerdo con las demandas cognitivas y de actuación que plantean al alumno. Esas actividades permiten:

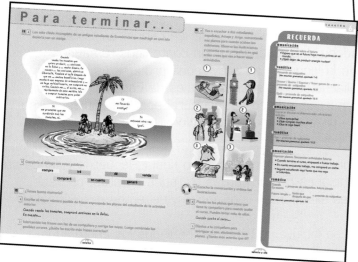

- La práctica lingüística.
- La aplicación, el desarrollo y la integración de las diferentes destrezas lingüísticas (comprensión auditiva, expresión oral, comprensión lectora y expresión escrita).
- La aplicación y el desarrollo de estrategias de comunicación.
- El desarrollo de la autonomía del alumno.

Estrategias de aprendizaje:

A lo largo del curso se proponen diversas actividades destinadas a fomentar el desarrollo de estrategias positivas de aprendizaje. Tienen como objetivo ayudar al alumno a descubrir estrategias que no conocía o no ponía en práctica pero que pueden serle útiles en lo sucesivo si se adaptan a su estilo de aprendizaje.

La labor de "aprender a aprender" facilita el proceso de aprendizaje del alumno y le permite llevarlo a cabo con un mayor grado de autonomía, confianza en sí mismo y responsabilidad.

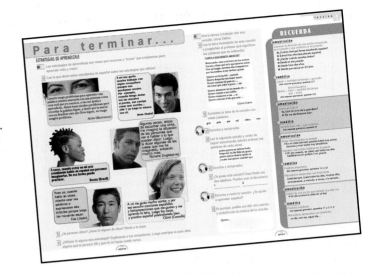

Contenidos socioculturales:

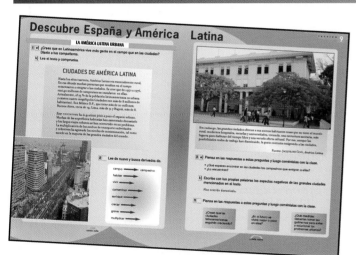

La integración de contenidos temáticos y lingüísticos hace posible que el alumno pueda aprender la lengua al mismo tiempo que asimila unos conocimientos sobre diversos aspectos socioculturales de España y América Latina. Las tareas incluidas contribuyen también a aumentar el interés por los temas seleccionados y al desarrollo de la conciencia intercultural, esto es, a la formación en el conocimiento, comprensión, aceptación y respeto de los valores y estilos de vida de las diferentes culturas.

Repasos:

Las lecciones de repaso ponen a disposición de los alumnos y del profesor materiales destinados a la revisión y al refuerzo de contenidos tratados en las cuatro lecciones precedentes. Dado que el objetivo fundamental de esas lecciones es la activación de contenidos para que el alumno siga reteniéndolos en su repertorio lingüístico, el profesor puede proponer la realización de determinadas actividades incluidas en ellas cuando lo considere conveniente, aunque eso implique alterar el orden en que aparecen en el libro, y así satisfacer las necesidades reales del alumno.

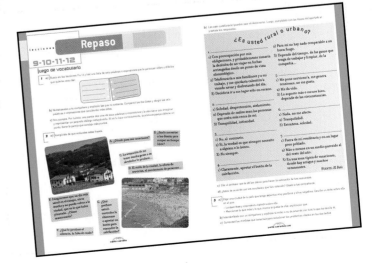

Contenidos del libro

	TEMAS Y VOCABULARIO	OBJETIVOS COMUNICATIVOS	GRAMÁTICA	ESTRATEGIAS DE APRENDIZAJE	DESCUBRE ESPAÑA Y AMÉRICA LATINA
lección 7	• La salud. • Vida sana. • Deportes y actividades de tiempo libre.	• Describir problemas. • Pedir y dar consejos. • Ponerse en el lugar del otro. • Reaccionar ante un consejo.	• Imperativo afirmativo y negativo. • Imperativo afirmativo y negativo + pronombres personales. • Condicional simple. • *Yo, en tu lugar,* / *yo que tú,* + condicional simple. • *Dejar de* + infinitivo. • *Seguir / continuar* + gerundio.	• Deducir el significado por el contexto.	• El descanso en España.

lección 8	• Citas famosas.
	• Mensajes.
		• Transmitir lo dicho por otros.
		• Pedir que se transmita un mensaje.
		• Transmitir informaciones.
		• Transmitir preguntas.
		• Transmitir peticiones.
			• Estilo indirecto:
			  – *Dijo que* + indicativo.
			  – *Ha preguntado (que) si* + indicativo.
			  – Cambios de pronombres, referencias temporales y espaciales, etc.
			  – *¿Sería(s) tan amable de / ¿Puede(s) decirle que* + información.
			  – *Dile / Dígale, por favor, que* + petición.
			  – Preguntar si / qué / dónde / cuándo / ...
			  – *Decir / Querer / Pedir* + *que* + presente de subjuntivo.
				• ¿Qué tipo de estudiante de español eres?	• Citas sobre América Latina.

Repaso 2 5-6-7-8 · Tarea complementaria: Participar en un club de español.

	TEMAS Y VOCABULARIO	OBJETIVOS COMUNICATIVOS	GRAMÁTICA	ESTRATEGIAS DE APRENDIZAJE	DESCUBRE ESPAÑA Y AMÉRICA LATINA
lección 9	• Las grandes ciudades: ventajas e inconvenientes. • Tu ciudad ideal.	• Describir una ciudad. • Expresar opiniones y argumentarlas. • Expresar acuerdo y desacuerdo. • Sugerir medidas y expresar sus efectos. • Mostrarse a favor o en contra de una propuesta o idea.	• Impersonalidad. • *Creo/pienso/opino... que* + indicativo. *No creo/pienso opino... que* + subjuntivo. • *Lo que* + verbo. *Lo de* + sustantivo / nombre propio. *Lo de que* + información. • Condicional. • *Estar a favor/en contra de* + sustantivo/infinitivo/ *que* + subjuntivo. • Conectores: *pero, sin embargo, además, entonces.*	• Participar en un debate. • Estrategias de comunicación.	• La América Latina urbana.

lección 10	• Sucesos y anécdotas.
	• Bromas.
		• Hablar del pasado (4):
		  – Relatar sucesos, anécdotas y bromas.
		  – Especificar el número de veces que se realizó una acción.
		  – Especificar la duración de una actividad pasada.
		  – Expresar acciones pasadas que se desarrollan simultáneamente.
		  – Expresar una acción inminente que no se llegó a realizar.
		  – Describir las circunstancias en que se produjeron ciertos hechos.
		  – Expresar una acción pasada anterior a otra acción pasada.
			• Pretérito indefinido.
			• Pretérito imperfecto.
			• Pretérito imperfecto – pretérito indefinido.
			• Pretérito imperfecto de *estar* + gerundio.
			• Pretérito pluscuamperfecto.
				• Uso del diccionario.	• El día de los Santos Inocentes.

lección 11	• El tiempo libre. Actividades de tiempo libre. • El cine. Géneros cinematográficos. • La salsa.	• Concertar citas. • Ceder la elección al interlocutor. • Poner condiciones para hacer algo. • Describir y valorar una película. • Hablar del tema y del argumento de una película.	• Presente de subjuntivo. • *Lo que* + presente de subjuntivo. • (Preposición +) Artículo determinado + *que* + presente de subjuntivo. • *Como / Cuando / Adonde* + presente de subjuntivo. • *Ser – estar*: valoraciones.	• Cómo ganar tiempo en una conversación. • Estrategias de comunicación.	• Raíces de la salsa.
lección 12	• Interculturalidad. • Gestos. • Costumbres y comportamientos. • Normas sociales.	• Describir gestos. • Describir costumbres y comportamientos. • Hablar de normas sociales. • Opinar sobre costumbres y comportamientos. • Expresar gustos. • Expresar sorpresa.	• Ciertos usos de *se.* • *Tú* impersonal. • *Ser - estar: es de mala educación / No está bien visto* + infinitivo. • *Es lógico / natural / A mí me parece muy gracioso* + *que* + presente de subjuntivo. • *Me gusta / encanta que* + presente de subjuntivo. • *Me sorprende / llama la atención* + *que* + presente de subjuntivo.	• El uso de gestos para solucionar problemas de comunicación en una conversación.	• Mafalda.

Repaso 3 9-10-11-12 · Tarea complementaria: Una salida para celebrar el fin de curso.

Resumen gramatical.

El español y tú

OBJETIVOS

- Conocer a tus compañeros
- Reflexionar sobre la clase de español y las estrategias que utilizas para aprender español
- Hablar del curso pasado
- Conocer la existencia de variedades del español

1 **a]** Habla con un compañero para descubrir seis cosas que tenéis en común. Podéis referiros a cualquier aspecto de vuestra vida personal o profesional.

A mí me encanta bailar salsa. ¿Y a ti?

A mí también.

b] Comentad al resto de la clase las coincidencias que os parezcan más curiosas o interesantes.

2 **a)** Lee estas preguntas y respuestas desordenadas. ¿Entiendes todo?

1 ¿Cuánto tiempo llevas estudiando español?

2 ¿Desde cuándo puedes comunicarte en español?

3 ¿Tienes posibilidades de practicar el español fuera de clase?

4 ¿Has estado en algún país latinoamericano?

5 ¿Cómo fue la experiencia?

6 ¿Qué tal se te da el español?

7 ¿Y qué es lo que más te gusta de la lengua española?

A Sí, a veces quedo con un amigo mío mexicano y hablamos en español.

B Dos años.

C ¡Ah, muy bien! Aprendí mucho y me encantó el país.

D Sí, hace dos años pasé un mes en Uruguay.

E Palabras como 'siesta', 'fiesta', etc. Me gusta cómo suenan y lo que significan.

F Desde que empecé a estudiarlo.

G Pues se me da bastante bien; no me parece muy difícil.

b) Relaciona cada pregunta con la respuesta correspondiente. Luego, compara los resultados con los de un compañero.

c) Escucha y comprueba con la grabación.

3 **a)** Observa:

FÍJATE

Cantidades de tiempo:

• **Llevar** + cantidad de tiempo + gerundio

Llevo dos años estudia**ndo** español.

fecha/año

• **Desde** + **hace** + cantidad de tiempo

que + verbo

el año 2001.

Hablo español **desde hace** cuatro años.

que estuve en México.

b) Piensa en tus propias respuestas a las preguntas de 2a). Coméntalas con un compañero para descubrir si tenéis algo en común.

Llevo... años estudiando español, y...

4 **a]** ¿Cuáles son tus actividades preferidas en clase de español?
Aquí tienes algunas cosas que se pueden hacer en clase. Elige dos o tres que te gustan mucho y dos o tres que no te gustan, o que te gustan menos.

Escribir cartas, diarios, redacciones, etc.

Practicar la pronunciación

Escuchar grabaciones

recordings

Hablar en parejas o en pequeños grupos

Escuchar la radio y ver la televisión

Trabajar con canciones — *songs*

Trabajar con vídeos o películas

Practicar y repasar el vocabulario

Leer periódicos, revistas o libros

Trabajar con juegos y pasatiempos

Estudiar gramática y hacer ejercicios gramaticales

Leer cómics y trabajar con ellos

Hacer exámenes

Realizar actividades que me ayudan a reflexionar sobre la forma de aprender

Hacer simulaciones, representar situaciones, representar obras de teatro

b] Coméntale a tu compañero por qué te gustan o no esas actividades, y si te parecen útiles o no para aprender.

c] Añade algo más que te gustaría hacer en clase de español. Díselo a tu profesor.

A mí (en clase) me gustaría...

EL ÚLTIMO CURSO DE ESPAÑOL

5 Lee los comentarios de estos dos estudiantes sobre el último curso de español al que asistieron y señala con qué palabras se refieren a...

- *las características del curso.*
- *actividades habituales de la clase.*
- *sus actividades preferidas.*
- *aspectos más fáciles y más difíciles del español.*
- *algún buen recuerdo del curso.*

El último curso lo hice en una academia de idiomas en Berlín. El profesor era muy bueno y aprendí mucho con él. Teníamos dos clases de hora y media a la semana. En clase hacíamos actividades diferentes: ejercicios de gramática y de vocabulario, y veíamos vídeos, trozos de películas españolas y anuncios. A mí esto era lo que más me gustaba. Una vez vimos parte de una película de Almodóvar y nos lo pasamos muy bien. Me gusta el español, pero los verbos me resultan muy difíciles.

PETER (Bremen)

Hace dos años hice un curso intensivo de dos semanas en España, en Málaga. Éramos muy pocos en clase, seis o siete. Los alumnos eran todos de diferentes nacionalidades y muy simpáticos; el ambiente era muy bueno. Lo que más me gustó del curso, además de las clases, fue la gente que conocí. Normalmente en clase hacíamos ejercicios de gramática, aprendíamos vocabulario y hablábamos sobre diferentes temas. A veces escuchábamos canciones. Un día dimos la clase en un bar; la profesora nos explicó en qué consistían las tapas y luego las probamos. Fue una clase muy divertida y muy útil. Para mí, lo más difícil del español es el vocabulario porque tengo muy mala memoria.

INGA (Copenhague)

6 a] Como ves, para hablar del curso pasado Inga y Peter han utilizado dos tiempos verbales, el pretérito imperfecto y el indefinido. Vuelve a leer los textos y subraya las formas que corresponden a esos tiempos.

b] Ahora anota el nombre del tiempo usado en cada uno de los siguientes casos:

Ya sabes que...

Para expresar una acción habitual en el pasado se utiliza el .....

Para expresar una acción que sucedió una sola vez se usa el ....

Para hacer descripciones en pasado se emplea el ....

7 **a)** ¿Cuáles de estos marcadores temporales emplearías para referirte a una acción habitual en el pasado? ¿Y para hablar de una acción que sucedió una sola vez? Coloca cada expresión en la columna correspondiente.

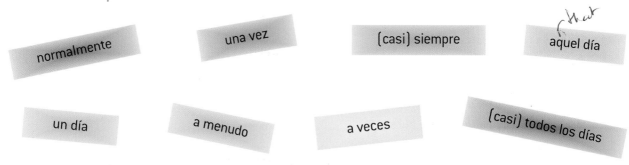

normalmente

una vez

(casi) siempre

aquel día

un día

a menudo

a veces

(casi) todos los días

Con una acción habitual en el pasado	Con una acción que sucedió una sola vez
normalmente	una vez ...
touß loß días	un día
siempre	aquel día
a menudo	←→ a veces

b) Elige alguno de esos marcadores y escribe frases sobre el primer curso de español que hiciste.

c) Intercambia tus frases con las de un compañero y corrígelas. ¿Hay alguna información que te sorprenda?

8 Vas a escuchar a cuatro estudiantes hablando sobre su último curso de español. Anota en el cuadro los datos que entiendas.

	1	2	3	4
Centro de estudios				
Número de horas semanales				
Actividades habituales de clase				
Algún recuerdo				
Lo más difícil del español				

9 a] Piensa en el último curso de español que hiciste y rellena esta ficha:

(Hay) -
¿Cuál era...?
¿Que eran...?

appeared

parecer } (like
resultar } gustar)

Centro de estudios	
Número de horas semanales	
Número de alumnos	Había ap. 12 --- / or hubo
Actividades habituales de clase	Hablábamos en parejas
Lo que más te gustaba	Que era lo que más te gustaba ---
Lo que menos te gustaba	Es que...
Lo que te resultaba más difícil	me recordaré / Recuerdo / Recordar las palabras
Un recuerdo del curso	A navidad, celebramos con vino español y comida

ESCUELA DE IDIOMAS

b] Coméntale las respuestas a un compañero y averigua en cuántas coincides con él.

● El último curso de español lo hice en...
● ¿Y cuántas horas de clase tenías?
● Tenía tres clases de una hora a la semana...

c] Comentadlo con el resto de la clase. ¿Qué pareja ha encontrado más coincidencias?

● Los dos hicimos el último curso en... y teníamos...
● Lo que más nos gustaba era...
● Lo que nos resultaba más difícil era...

Para terminar...

ESTRATEGIAS DE APRENDIZAJE

10 Las estrategias de aprendizaje son cosas que hacemos o "trucos" que empleamos para aprender más y mejor.

a] Lee lo que dicen estos estudiantes de español sobre las estrategias que utilizan.

Cuando tengo problemas para aprender una palabra intento asociarla con una persona o una cosa real que yo conozco, y eso me ayuda a aprenderla. Antes tenía muchos problemas para recordar la palabra *bigote*, y desde que la asocié con un familiar mío que lleva bigote, no tengo ningún problema.

AÏCHA (Marruecos)

A mí me gusta mucho trabajar con algún compañero porque nos ayudamos mucho. Por ejemplo, cuando tengo dudas me las resuelve si puede, me corrige cosas que escribo... ¡Ah! Y yo hago lo mismo con él.

BRUNO (Italia)

Algunas veces, antes de escuchar una cinta, me imagino la situación de las personas que van a hablar y lo que pueden decir. Luego, si dicen algunas de las cosas que me he imaginado, entiendo mucho más.

RICHARD (Inglaterra)

A veces, cuando estoy en mi casa estudiando hablo en español con personas imaginarias. De esa forma puedo practicar.

BEATRIZ (Brasil)

Pues yo, cuando hablo en clase, intento usar las palabras y expresiones más difíciles porque luego las recuerdo mejor.

FUMI (Japón)

A mí me gusta mucho cantar, y por eso escucho canciones españolas y latinoamericanas que me gustan y me aprendo la letra. Luego las canto y practico español pasándomelo bien.

CÉLINE (Canadá)

b] ¿Te parecen útiles? ¿Usas tú alguna de ellas? Díselo a la clase.

c] ¿Utilizas tú alguna otra estrategia? Explícasela a tus compañeros. Luego averigua si usan ellos alguna que te parezca útil y que tú no hayas usado nunca.

14
catorce

11 Ahora vamos a trabajar con una canción, como Céline.

a) Lee la letra incompleta de esta canción y pregúntale al profesor qué significan las palabras que no entiendas.

CARTA A RIGOBERTA MENCHÚ

Bienvenido, esta es la tierra de los sueños.
Cuenta y dime qué es lo que quieres soñar.
Con mi magia, seremos dos compañeros
por tus sueños, si me invitas a pasar.

Quiero ver la luz del — natural.
Quiero despertar sin temer morir.
Quiero caminar de país en —,
sin tener que odiar a quien — allí.

Quiero amanecer en un mundo en —.
Quiero resistir a ser infeliz.
Quiero enamorar a esa —, sí.
Quiero colorear el día que esté —.

CELTAS CORTOS

b) Completa la letra de la canción con estas palabras.

gris   país   paz   sol   chica   vive

c) Escucha y comprueba.

d) Lee la siguiente estrofa y, antes de seguir escuchando, intenta ordenar las palabras de cada verso.

jardín quiero un cultivar bello
despertar en día feliz un quiero
quiero mis yo deseos cantar sí
y soñar son quiero realidad que

e) Escucha y comprueba.

f) ¿Te gusta esta canción? Descríbela con dos adjetivos. Puedes usar el diccionario.

1 ....   2 ....

g) Escucha y canta la canción. ¿Te ayuda a aprender español?

h) En parejas, podéis escribir otra estrofa y cantarla con la música de la canción.

Quiero...

RECUERDA

Comunicación

Expresar la duración de una acción comenzada en el pasado y que continúa en el presente
- □ ¿Cuánto (tiempo) llevas estudiando español?
- ○ (Llevo) Dos años (estudiando español).
- □ ¿Desde cuándo estudias árabe?
- ○ Desde el año pasado.
- ○ Desde hace dos años.
- ○ Desde que estuve en El Cairo.

Gramática

Llevar + cantidad de tiempo + gerundio
(Ver resumen gramatical, apartado 3.1)

fecha/mes/año/...
Desde + hace + cantidad de tiempo
que + verbo
(Ver resumen gramatical, apartado 3.2)

Comunicación

Expresar aptitud
- □ ¿Qué tal se te da la gramática?
- ○ (Se me da) Bastante bien.

Gramática

Dársele bien/mal... algo a alguien
(Ver resumen gramatical, apartado 4)

Comunicación

Hacer descripciones en pasado
- En mi clase (del año pasado) había muy pocos alumnos y eran todos muy simpáticos.

Expresar una acción habitual en el pasado
- (El año pasado, en clase) casi todos los días hablábamos en parejas o en grupos.

Gramática

Pretérito imperfecto
(Ver resumen gramatical, apartados 1.2 y 2.2)

Marcadores temporales con imperfecto:
(casi) siempre, (casi) todos los días, muchos días, normalmente, a menudo, a veces, a la semana...

Comunicación

Hablar de una acción que sucedió una sola vez
- Un día tuvimos la clase en un bar.

Gramática

Pretérito indefinido
(Ver resumen gramatical, apartados 1.1 y 2.1.1.1)

Marcadores temporales con indefinido:
un día, una vez, aquel día...

Descubre España y América

1 a) Lee este texto (puedes usar el diccionario).

Cuando los españoles llegaron a América a finales del siglo XV, se hablaba allí un buen número de idiomas y dialectos que pertenecían a más de 170 familias lingüísticas. Muchos de ellos, como el lule-vilela de Argentina, fueron absorbidos por el castellano. Otros —el quechua, el tupí-guaraní, el náhuatl, etc.— sobrevivieron y hoy son idiomas cooficiales con el español, y los hablan un total de diez millones de personas.

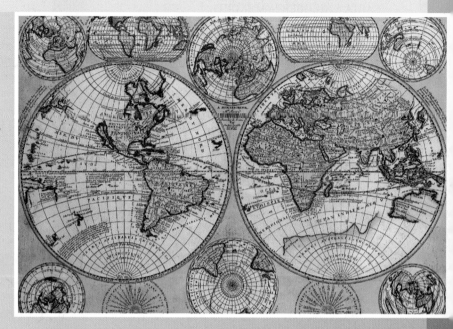

El contacto del castellano con esas lenguas ha producido intercambios, algunos de los cuales son la causa de ciertas peculiaridades de las variedades de español hablado hoy en día en América. Aunque dichas lenguas no han tenido una gran influencia en las estructuras de ese español, sí la han tenido, por ejemplo, en la pronunciación y en el ritmo, que son más melodiosos. Además, enriquecieron el léxico del español desde el principio, puesto que los españoles se encontraron en América con ciertas realidades nuevas para ellos y no tenían las palabras necesarias para nombrarlas. Por esa razón tomaron prestados de las lenguas indígenas los términos precisos; *maíz*, *tomate* o *chocolate* serían tres ejemplos de ello.

Por último, no debemos olvidar las aportaciones hechas al español por los esclavos africanos llevados a América. Ellos introdujeron en ese continente palabras como *mambó* o *conga*.

Latina

b] Léelo de nuevo y señala si estas afirmaciones son verdaderas o falsas.

	v	f
Las lenguas indígenas de Hispanoamérica se han conservado hasta nuestros días.		
Actualmente la mayoría de los hispanoamericanos son bilingües.		
Los idiomas y dialectos indígenas han influido más en la fonética que en la gramática del español que se habla en América.		
Esos idiomas exportaron determinadas palabras a finales del siglo xv.		
La palabra *mambo* es de origen americano.		

c] Sustituye las frases falsas por otras verdaderas.

2 a] Escucha a Silvia, una chica argentina, comentando las diferencias lingüísticas que encontró al llegar a España. Ordena los siguientes aspectos según el grado de dificultad que le causaron:

❑ gramática ❑ pronunciación ❑ vocabulario

b] Vuelve a escuchar y completa el cuadro.

Argentina	España
vos	...
vos podés	...
...	tú quieres
carro	...
sacarse el saco	...

c] Y tú, ¿qué diferencias léxicas, fonéticas y gramaticales has encontrado entre el español de España que has estudiado y las variedades lingüísticas hispanoamericanas que conoces? Díselo a tus compañeros.

Tengo unos amigos chilenos que nunca dicen "vosotros", siempre "ustedes". Y algunas palabras son bastante diferentes. A los niños pequeños no los llaman "bebés"; dicen "guaguas".

3 Piensa en las respuestas a estas preguntas y coméntalas con tus compañeros.

- ¿Existen también distintas variedades en tu lengua?
- ¿Qué diferencias hay entre ellas?
- ¿Puedes citar algún ejemplo?

¿Cómo conociste a tu mejor amigo?

- Describir a un amigo o amiga
- Explicar cómo conociste a alguien
- Narrar hechos pasados y describir las circunstancias en las que se produjeron
- Expresar la causa

AMIGOS

asegurarse — to make sure

1 a] Lee estas opiniones de varias personas sobre lo que es un amigo o una amiga y asegúrate de que las entiendes.

Un amigo es una persona que me ayuda cuando lo necesito.

Un amigo es una persona que piensa como yo y tiene los intereses y aficiones que yo tengo. *hobbies*

Una amiga es una persona que se alegra si estoy bien y sufre si estoy mal.

Una amiga es una persona que me conoce bien, me acepta como soy y me quiere.

Yo soy muy sincera con mis amigas; cuando estoy con ellas pienso en voz alta. *I think aloud*

Un amigo es una persona en la que confío totalmente porque sé que puedo contar con ella.

b] ¿Con cuál de las anteriores opiniones te identificas más?

2 a) Escribe tu propia definición de la palabra *amigo/a*. Puedes consultarle al profesor las dudas que tengas.

> Para mí, un amigo es una persona (que)...

b) Lee tu definición a tus compañeros y averigua si ellos han escrito alguna que te guste.

c) Si has tenido dudas en el apartado a) y te las ha resuelto el profesor, explícaselas a tus compañeros.

3 a) Estos adjetivos pueden servir para describir a un amigo o amiga. ¿Entiendes lo que significa cada uno?

comprensivo/a

sincero/a

solidario/a

simpático/a

tolerante

optimista

alegre

activo/a

bueno/a

sensible

inteligente

fiel
= léal

tener sentido común
to have common sense
confiar to trust
cómica
graciosa ⟩ funny

b) Cópialos y subraya la sílaba más fuerte de cada uno de ellos.

Compren<u>si</u>vo.

c) Escucha y comprueba.

4 Piensa en un amigo o amiga tuyo y háblale de él o ella a otro compañero. Coméntale:
- Su carácter.
- Qué es lo que más te gusta de él o ella.

Mi amiga (Claudia) es muy...
Lo que más me gusta de ella es
(que siempre que tengo un
problema me ayuda a resolverlo).

¿CÓMO CONOCISTE A TU MEJOR AMIGO?

cargo (irreg.)

5 a) Lee estas palabras y expresiones y pregúntale al profesor qué significan las que no entiendas.

hacerse amigos	ofrecer	caerse bien
hacer cola	sobrar	entrada

Cquene

b) Cuenta lo que está pasando en el dibujo utilizando tres de las expresiones del apartado a).

c) Ahora lee las diferentes partes de esta historia y decide con tu compañero cuál es el orden correcto.

A

Yo se la compré y entré en el cine. Como las entradas estaban numeradas, me senté a su lado.

B

Pues yo conocí a Hugo, mi mejor amigo, de una forma muy curiosa, cuando estaba haciendo el primer curso de Periodismo.

C

Me explicó que le sobraba una porque una amiga suya había tenido un problema y no podía ir al cine.

D

Una tarde fui al cine solo y, cuando estaba haciendo cola para sacar las entradas, llegó un chico que no conocía y me ofreció una entrada.

E

Cuando terminó la película nos pusimos a comentarla, tomamos un café juntos y la verdad es que nos caímos muy bien.

F

Luego nos vimos varias veces los meses siguientes y en poco tiempo nos hicimos muy amigos.

1B, 2..., 3..., 4..., 5..., 6...

d] Lee la historia de nuevo y responde a las siguientes preguntas.

1. ¿Dónde conoció esa persona a su mejor amigo?
2. ¿A qué se dedicaba en aquella época?
3. ¿Qué estaba haciendo cuando vio por primera vez a Hugo?
4. ¿Qué hizo Hugo cuando llegó?
5. ¿Qué hicieron cuando terminó la película?
6. ¿Qué impresión se causaron los dos?
7. ¿Tardaron mucho en hacerse amigos?

6 a] Observa:

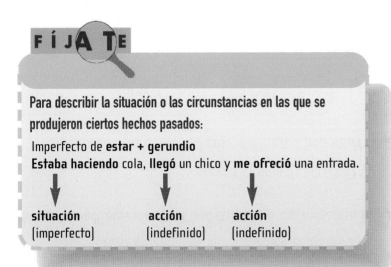

FÍJATE

Para describir la situación o las circunstancias en las que se produjeron ciertos hechos pasados:

Imperfecto de **estar** + gerundio
Estaba haciendo cola, **llegó** un chico y **me ofreció** una entrada.

situación	acción	acción
(imperfecto)	(indefinido)	(indefinido)

Hugo fue a la cola del cine para vender la entrada que no necesitaba. Vio a un chico que *esperaba* (esperar) para comprar una entrada y se la *ofreció* (ofrecer). Después de ver la película, *fueron* (ir) los dos a un bar, *hablaron* (hablar) de ella y se *cayeron* (caer) muy bien. El chico le dijo que era estudiante y que *hacía* (hacer) Periodismo.

b] Completa este texto con las formas verbales apropiadas.

7 a] Observa:

b] Expresa las mismas ideas de otra forma. Haz las transformaciones necesarias.

FÍJATE

Para expresar la causa:

• **porque** + causa

Se hicieron muy amigos **porque** tenían muchos intereses comunes.

• **Como** + causa

Como tenían muchos intereses comunes, se hicieron muy amigos.

● Vendió una entrada porque su amiga no fue al cine. → *Como su amiga...*
● Fueron a tomar un café porque querían continuar hablando. → ...
● Como no tenían hambre, no comieron nada. → ...
● Volvieron a casa tarde porque estuvieron mucho rato en el bar. → ...
● Como se cayeron muy bien, se vieron la semana siguiente. → ...

8 a) Estas frases se pueden utilizar para hablar del principio de una relación. Complétalas con las palabras que hay debajo para reconstruir la historia las personas de la fotografía.

Nos conocimos hace...	Me cayó muy...
Al día siguiente volvimos a...	Nos presentó un...
Carlos me pareció una persona muy...	Entonces me di cuenta de que sentía...

algo especial por él

simpática   bien   dos años   vernos   amigo común

b) Ahora escribe cómo se conocieron esas dos personas. Haz los cambios necesarios.

Se conocieron... Los presentó... (A Beatriz) Carlos le pareció...

9 a) En parejas. Utilizad estas ideas y la información de la imagen para escribir cómo conoció Estrella a Juan, su marido.

Podéis empezar algunas frases así:

En aquella época...
Un día...
(A Estrella, Juan) le pareció/cayó...
Se dio cuenta de que...

❏ hace cinco años
❏ estudiar
❏ compartir piso con un compañero de clase
❏ invitar a comer
❏ verse la primera vez, estar haciendo la comida
❏ pantalones negros y camisa roja
❏ paella
❏ persona interesantísima
❏ caer muy bien
❏ volver a verse
❏ sentir algo especial
❏ enamorarse

Estrella conoció a Juan...

b) Contad vuestra versión de la historia a otra pareja y averiguad si hay muchas diferencias con lo que han pensado ellos.

c) Escuchad lo que dice Estrella y comprobad si la información coincide con la vuestra.

10 a] Mira estos dibujos en los que dos personas se conocen y elige la expresión correspondiente a cada situación.

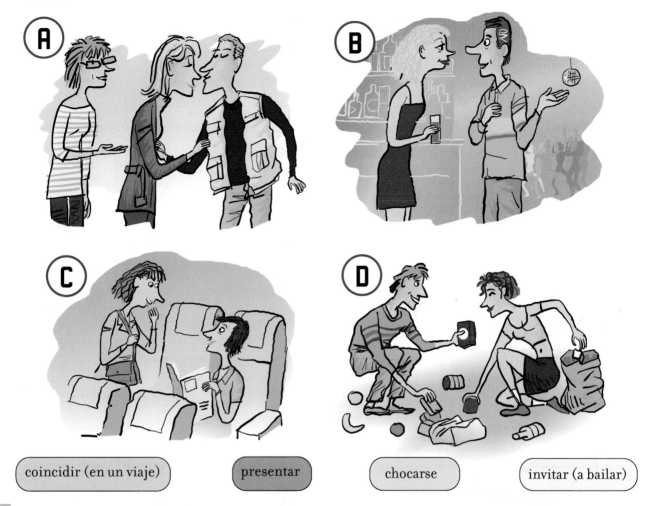

coincidir (en un viaje)   presentar   chocarse   invitar (a bailar)

b] ¿Has conocido a alguien de alguna de esas maneras? Coméntaselo a tus compañeros.

c] Escucha a dos personas describiendo cómo conocieron a su novia y a su mejor amiga. Elige la ilustración correspondiente de a).

d] Vuelve a escuchar y completa las frases con la información correspondiente.

Jaime conoció a su novia...
Cuando iba a salir...
Como era muy simpática...

Juana conoció a su mejor amiga...
Coincidieron en...
Le pareció...
Como las dos...
Juana sugirió... _suggested_

11 a] Vas a contar a un compañero cómo conociste a tu novio o novia o a tu mejor amigo o amiga. Antes, prepara lo que vas a decir; puedes tomar nota de las palabras y frases que te parezcan difíciles.

b] Ahora cuenta tu historia a un compañero y escucha la suya. ¿Has conocido tú alguna vez a alguien de esa forma?

ESTRATEGIAS DE APRENDIZAJE: APRENDER DE LOS ERRORES

12 a] Asegúrate de que conoces el significado de la palabra *investigador*.

b] Lee este cuento de Rodari y observa los dibujos. Puedes usar el diccionario.

El gran inventor

Había una vez un joven que soñaba con llegar a ser un gran inventor. Estudiaba día y noche, estudió varios años, y finalmente escribió en su diario personal:

«Ya he estudiado bastante. Soy ya un *himbestigador*, y demostraré mi gran valía.»

Comenzó de inmediato a hacer experimentos y llegó a inventar los agujeros del queso. Pero pronto supo que ya habían sido inventados.

Volvió a comenzar desde el principio. Estudiaba mañana y tarde, estudió muchos meses, y finalmente escribió en su diario:

«Ya es suficiente. Ahora soy de verdad un *imbestigador*. El mundo verá lo que soy capaz de hacer.»

Y en efecto el mundo pudo ver: inventó los agujeros en el paraguas y fue el hazmerreír de todos.

Pero él no se desanimó, volvió sobre los libros, rehízo experimentos tras experimentos y finalmente escribió en su diario:

«Bien, ahora estoy seguro de no equivocarme. Ahora soy un *inbestigador* en serio.»

En cambio era ahora un *inbestigador* con una pequeña falta. Inventó una nave que viajaba impulsada por pintura al pastel, costaba demasiado y coloreaba todo el mar.

—No me detendré por ello —se dijo el buen joven, que ya comenzaba a tener canas.

Estudió, estudió y estudió tanto que llegó a ser un *investigador* con todas las letras en su puesto, y así pudo inventar todo lo que quiso. Inventó un vehículo para viajar a la Luna, un tren que solo consumía un grano de arroz cada mil kilómetros, los zapatos que no se gastan nunca, y muchas otras cosas.

Pero el sistema de llegar a ser *investigadores* y científicos sin cometer errores no llegó a inventarlo ni siquiera él, y tal vez no lo invente nadie nunca.

G. RODARI, *El libro de los errores*.

c] Responde a estas preguntas:

- ¿Qué errores ortográficos hay en el texto? ¿Qué representan?
- ¿Pudo esa persona llegar a ser investigador sin cometer errores en su trabajo?
- ¿Es posible eso según el texto?

d] Piensa en las respuestas a estas preguntas y luego coméntalas con la clase.

- ¿Cuál es la idea principal que quiere expresar Rodari? ¿Estás de acuerdo con ella?
- ¿Se puede aplicar al aprendizaje de una lengua extranjera?
- ¿Crees que se puede aprender de los errores? ¿Cómo?

13 a] Corrige estos errores.

> *vi*
> El otro día ~~veía~~ a Alejandro.
> Anoche iba al cine.
> El domingo me levantaba bastante pronto.

> *que*
> Un amigo es una persona ~~quien~~ me acompaña en los momentos malos.
> Los amigos son personas quienes saben escuchar.
> Una amiga es una persona quien no me juzga ni me critica.

> *llevaba*
> Cuando nos conocimos, ~~llevé~~ barba.
> La última vez que te vi, estuviste muy morena.
> Los zapatos rojos que llevabas fueron preciosos.

> *desde hace*
> Vivo en esta casa desde cinco años.
> Estudio japonés desde dos años.
> Estoy de vacaciones desde tres días.

> *estábamos*
> Cuando sonó el teléfono, ~~estuvimos~~ durmiendo.
> Cuando llegamos, estuvieron cenando.
> Cuando me llamaste, estuve duchándome.

b] Compara tus resultados con los de tu compañero.

- *Aquí hay un error. No se dice..., se dice... (porque...)*
- *Sí, es verdad.*
- *Pues yo creo que está bien (porque...)*

c] Escribe otras frases que te parezcan difíciles y pásaselas a tu compañero para que las corrija.

14 a] Redacta un texto explicando cómo conociste a una persona.

> *Conocí a mi mejor amiga en la universidad. Yo estaba....*

b] Intercambia tu texto con un compañero y corrige el que recibas.

c] Comenta los errores con tu compañero. ¿Estáis de acuerdo?

RECUERDA

Comunicación

Hacer definiciones
- Para mí, un amigo es una persona que me escucha y me ayuda cuando lo necesito.

Comunicación

Describir la situación o las circunstancias en las que se produjeron ciertos hechos
- Estaba esperando en la cola y un chico me ofreció una entrada.
- Nos conocimos cuando estábamos estudiando.

Gramática

Imperfecto-indefinido
Imperfecto de estar + gerundio
(Ver resumen gramatical, apartado 2.3.1)

Pronombres personales con verbos recíprocos:
conocerse, hacerse, caerse, darse
(Ver resumen gramatical, apartado 5)

Comunicación

Narrar hechos pasados
- Vimos la película y luego fuimos a un bar a tomar algo.

Gramática

Indefinido
(Ver resumen gramatical, apartado 2.3.2)

Conectores:
cuando, luego, después, entonces

Comunicación

Expresión de la causa
- Volví pronto a casa porque estaba muy cansada.
- Como estaba muy cansada, volví pronto a casa.

Gramática

Porque-como
(Ver resumen gramatical, apartado 6)

ETNIAS EN LATINOAMÉRICA: LOS INDIOS

1 a] Comenta con la clase las respuestas a estas preguntas:

- ¿Sabes por qué se utiliza la palabra *indio* para referirse a parte de los habitantes de Latinoamérica?
- ¿Sabes que es debido a un error de Cristóbal Colón? ¿En qué pudo consistir?

b] Lee este texto y averigua el significado de las palabras que te parezcan importantes y desconozcas.

LOS INDIOS EN LATINOAMÉRICA

Actualmente se conoce la existencia de unas 400 etnias indias en Latinoamérica. Muchas tienen muy pocos miembros y están en peligro de desaparición; por el contrario, una decena de ellas reúne a una buena parte de la población indígena, especialmente los grupos quechua y aymara de los Andes, quiché de Guatemala y náhuatl de México.

Aunque no tenemos cifras oficiales, se calcula que en América Latina hay entre 30 y 40 millones de indígenas. En algunos países esta población es mayoritaria; ese es el caso de Bolivia, Perú, Ecuador o Guatemala.

Muchos de ellos viven y trabajan en grandes propiedades agrícolas; otros habitan en comunidades localizadas por lo general en las regiones menos prósperas, donde la vida no es fácil, y todavía usan los instrumentos laborales más tradicionales. Sus tierras son para ellos signo de prestigio y progreso; suelen estar en las montañas, que les protegen de los invasores y les permiten desarrollar su cultura.

Poblado indígena

Latina

La población indígena ha sido marginada durante siglos, pero en las últimas décadas han destacado personas que han alcanzado importantes logros y el reconocimiento internacional, como Alejandro Toledo, primer presidente de Perú de origen indio, o Rigoberta Menchú, Premio Nobel de la Paz en 1992. También se han creado organizaciones que reivindican una serie de valores de las culturas indígenas, como la defensa de su identidad original y de su cultura, el derecho a la tierra, la autogestión, el reconocimiento de las lenguas indígenas y el derecho a la enseñanza bilingüe.

Fuentes:
JACQUELINE COVO, *América Latina*.
VARIOS AUTORES, *Iberoamérica, una comunidad*.

Alejandro Toledo

c] Selecciona algunas informaciones del texto y escribe preguntas sobre ellas.

¿Cuántos millones de indios se calcula que viven en Latinoamérica?

d] Hazle las preguntas a un compañero para comprobar si ha entendido el texto.

e] Comenta con la clase las informaciones que te hayan parecido más interesantes (y otras que sepas sobre el tema).

f] Piensa en las respuestas a estas preguntas y explícaselas a la clase:

- ¿Conoces alguna organización o algún movimiento político comprometido con la defensa de los derechos de los indios?

- ¿Últimamente has leído o escuchado en los medios de comunicación alguna noticia relacionada con los indios? ¿En qué consistía?

Rigoberta Menchú

3

Mundo latino

OBJETIVOS

- Hablar de experiencias personales
- Hablar de las últimas vacaciones
- Hacer comparaciones: destacar una cosa entre varias
- Pedir y dar información de carácter cultural
- Pedir la confirmación de una información
- Expresar probabilidad

1 **a)** Asegúrate de que entiendes todas las palabras del recuadro.

- lago   • selva   • ruinas   • valle   • desierto
- castillo   • cataratas   • océano

b) Completa los pies de foto con ellas.

1. cataratas del Iguazú (Argentina, Brasil y Paraguay)

4. castillo de Manzanares el Real (España)

2. océano Pacífico

5. ruinas mayas de Palenque (México)

3. lago Titicaca (Bolivia y Perú)

6. Bosque de la selva amazónica (Colombia)

7. valle de Viñales (isla de Cuba)

8. desierto de Atacama (Chile)

2 **a]** Averigua el significado de las palabras que no entiendas.

espectacular

precioso

cálido

solitario

húmedo

impresionante

ruidoso

frío

isolated

aislado

peligroso

feo

tranquilo

seco

de interés histórico

b] ¿Puedes formar cuatro parejas de contrarios con las palabras anteriores?

```
ruidoso          tranquilo
seco             húmedo
cálido           frío
feo              precioso    = bonito
```

c] Pronuncia las palabras de 1a) y 2a). Luego practica, con ayuda del profesor, las más difíciles.

3 ¿Qué te parecen los lugares que aparecen en 1b)? Usa adjetivos de la actividad anterior para decírselo a tu compañero.

● *A mí las cataratas del Iguazú me parecen...*
● *A mí también.*
● *Pues a mí me parecen (un lugar)...*

4 **a]** Haz una lista de lugares interesantes del país en el que estás y que todavía no has visitado. Puedes utilizar palabras de la actividad 1a) y consultar el diccionario.

El lago...

b] Pregúntale a tu compañero si ha estado alguna vez en ellos. Si contesta afirmativamente, averigua cuándo y si le gustaron.

● *¿Has estado alguna vez en el lago...?*
● *Sí.*
● *¿Cuándo?*
● *Pues estuve hace dos años.*
● *¿Y qué tal? ¿Te gustó?*
● *Sí, me encantó. Es un sitio muy bonito y...*

Ya sabes que...

Para hablar de experiencias personales puedes usar el pretérito perfecto y el indefinido.

≡ *¿Has estado alguna vez en los Andes?*

 - *No, no he estado nunca.*
 - *Sí, he estado este año.*
 - *Sí, estuve el año pasado.*

VACACIONES

5 **a)** Lee este cómic (puedes consultar el diccionario). Luego responde a las preguntas.

- ¿Cómo se siente el protagonista al principio de la historieta?
- ¿Y cómo está al final? ¿Por qué?

b) En parejas. ¿Qué título le pondríais al cómic? ¿Coincide con el de alguna pareja?

c) ¿Qué cosas que podemos hacer en vacaciones se mencionan en el cómic? Anótalas.
Tomar el sol...

d) Y tú, ¿qué otras cosas haces cuando estás de vacaciones? Averigua cómo se dicen en español si no lo sabes. Díselo a la clase para saber si coincides con muchos compañeros.

6 **a)** Escucha a dos amigos hablar sobre unas vacaciones pasadas de uno de ellos y toma nota de la siguiente información.

| ¿Dónde estuvo? | ¿Cuándo fue? | ¿Qué hizo? | ¿Qué lugares visitó? | ¿Cómo son? |

b) Compara los datos que has anotado con los de un compañero y vuelve a escuchar la grabación.

7 **a)** Vas a contar tus últimas vacaciones a un compañero. Prepara lo que le vas a decir; puedes fijarte en las preguntas de la actividad 6.

b) Cuéntaselo a un compañero. Después pregúntale si también ha estado en esos lugares y si está de acuerdo con la descripción que has hecho.

8 **a]** Observa estos recuadros. Luego lee las frases y escribe los nombres correspondientes.

LOS CINCO PAÍSES MÁS GRANDES
(KILÓMETROS CUADRADOS)

Rusia	
Canadá	17 075 400
China	9 976 139
EE UU	9 596 961
Brasil	9 372 614
	8 511 965

LOS CINCO PAÍSES MÁS PEQUEÑOS
(KILÓMETROS CUADRADOS)

	0,44
El Vaticano	2
Mónaco	21
Nauru	26
Tuvalu	61
San Marino	

LOS CINCO PAÍSES MÁS POBLADOS
(POBLACIÓN APROXIMADA)

China	1 243 738 000
India	960 178 000
EE UU	271 648 000
Indonesia	203 479 000
Brasil	163 132 000

LAS CINCO MONTAÑAS MÁS ALTAS
(METROS)

Everest (Nepal, Tíbet)	8 848
K2 (Godwin Austin) (India, Pakistán)	8 610
Kangchenjunga (India, Nepal)	8 538
Makalu (Nepal, Tíbet)	8 481
Dhaulagiri (Nepal)	8 172

LOS CINCO RÍOS MÁS LARGOS
(KILÓMETROS)

	6 670
Nilo (África)	6 448
Amazonas (Suramérica)	6 300
Chang Jiang (China)	6 020
Mississippi (EE UU)	5 540
Yenisei (Rusia)	

LAS CINCO CIUDADES MÁS POBLADAS
(POBLACIÓN APROXIMADA)

Tokio (Japón)	
Ciudad de México (México)	28 447 000
São Paulo (Brasil)	23 913 000
Seúl (Corea del Sur)	21 539 000
Nueva York (EE UU)	19 065 000
	16 332 000

1. Es la montaña más alta del mundo.
   El (monte) Everest.
2. Es la segunda ciudad más poblada del mundo.
   Ciudad de México
3. Es uno de los ríos más largos del mundo.
   Mississippi
4. Es el quinto país más grande del mundo.
   Brasil
5. Es uno de los países más pequeños del mundo.
   Tuvalu
6. Es el río más largo del mundo.
   Nilo
7. Es el país americano que tiene más habitantes.
   Brasil Estados Unidos
8. Es una de las ciudades americanas que tiene más habitantes.
   São Paulo

FÍJATE

Para hacer comparaciones y destacar una cosa entre varias:

La ciudad / segunda ciudad **más** poblada **del** mundo.

Una de las ciudades **más** pobladas **del** mundo.

La ciudad americana **que** tiene **más** habitantes.

Una de las ciudades americanas **que** tiene **más** habitantes.

b] Mira los recuadros del apartado a) y escribe cinco frases con informaciones verdaderas o falsas.

China es el segundo país más grande del mundo.

c] Díselas a tu compañero para que confirme si son verdaderas o falsas.

DOCE PREGUNTAS SOBRE EL MUNDO LATINO

9 **a]** Lee estas preguntas y señala las respuestas que conozcas o creas conocer.

1. ¿Qué capital latinoamericana es la más alta del mundo?

- ❑ Lima
- ❑ La Paz
- ❑ Quito

2. ¿Cuál es el lugar más seco del planeta?

- ❑ El sureste de Andalucía (España)
- ❑ La Pampa argentina
- ❑ El desierto de Atacama (Chile)

3. ¿Cuál es el país de habla hispana que tiene más habitantes?

- ❑ México
- ❑ Colombia
- ❑ España

4. ¿Cuáles de estos países tienen un porcentaje más alto de población indígena?

- ❑ Bolivia y Guatemala
- ❑ México y Perú
- ❑ Ecuador y Honduras

5. ¿En qué país está la catedral más grande del mundo?

- ❑ En Uruguay
- ❑ En España
- ❑ En Chile

6. ¿En cuál de estos países está la pirámide más grande del mundo?

- ❑ En Guatemala
- ❑ En Perú
- ❑ En México

7. ¿Qué nación latinoamericana tiene una Constitución que no permite la existencia de un ejército nacional?

- ❑ Costa Rica
- ❑ Paraguay
- ❑ Nicaragua

8. ¿Cuál es el país latinoamericano que produce más café, la bebida más popular del mundo?

- ❑ Brasil
- ❑ Cuba
- ❑ Colombia

9. El salto de Ángel es la catarata más alta del planeta. ¿En qué país está?

- ❑ En Paraguay
- ❑ En Venezuela
- ❑ En El Salvador

10. ¿En cuál de estos países está el Aconcagua, el pico más alto de los Andes?

- ❑ En Uruguay
- ❑ En Argentina
- ❑ En la República Dominicana

11. ¿Por qué países latinoamericanos pasa el río Amazonas?

- ❑ Por Colombia y Venezuela
- ❑ Por Colombia y Panamá
- ❑ Por Perú, Colombia y Brasil

12. ¿En cuáles de estos países está el lago navegable más alto del mundo?

- ❑ En Ecuador y Perú
- ❑ En Bolivia y Perú
- ❑ En Honduras y El Salvador

b] Lee estas frases y asegúrate de que las entiendes.

- ● ¿Qué capital latinoamericana es la más alta del mundo?
- ● La Paz, ¿verdad?
- ● No estoy seguro, pero creo que es La Paz.
- ● No sé, pero debe de ser La Paz.
- ● No sé, pero tiene que ser La Paz, porque...

c] Ahora comenta las respuestas con tu compañero. Decidid entre los dos las que puedan corresponder a las preguntas que no hayáis respondido.

FÍJATE

Para expresar probabilidad:

– ¿Cuál es el lugar más seco del planeta?

- • No sé, pero **debe de ser** el desierto de Atacama.
- • No sé, pero **tiene que ser** el desierto de Atacama.

d] Lee y comprueba.

El lugar más seco del mundo está en el norte de Chile: en el desierto de Atacama.

La Paz, capital de Bolivia, es la capital más alta del mundo; está a 3 661 metros sobre el nivel del mar.

La catedral más grande del mundo tiene 116 metros de largo por 76 metros de ancho. Es la de Sevilla (España).

Se calcula que el 60 % de los habitantes de Bolivia y Guatemala son indios, y ese porcentaje es el mayor de Hispanoamérica.

La Constitución de Costa Rica es la única del mundo que prohíbe que el país tenga un ejército nacional.

La mayor pirámide del mundo no está en Egipto, sino en Cholula (México). Es la de Quetzacóatl. Su base ocupa una superficie de 18,2 hectáreas y tiene una altura de 54 metros.

La cordillera de Los Andes es la más larga del mundo, con 7 200 Km. Su pico más elevado se encuentra en Argentina y tiene una altura de 6 960 metros.

Latinoamérica produce las dos terceras partes del café que se consume en todo el planeta. Brasil es, con el 30 %, el primer país productor; el segundo es Colombia.

El río Amazonas, el más caudaloso del planeta y el segundo más largo, atraviesa varios países latinoamericanos: Perú, Colombia y Brasil. Sus afluentes pasan por esos países y por Bolivia, Ecuador, Venezuela y Guyana.

México, con sus más de 95 millones de habitantes, es el país hispanoamericano más poblado.

El salto de Ángel está en Venezuela y es la catarata más alta del mundo (979 metros).

El Titicaca es el lago navegable más alto del mundo (3 800 metros sobre el nivel del mar). Está en la frontera de Bolivia con Perú, en territorio de los dos países.

e] ¿Qué informaciones te han sorprendido más? Díselas a tus compañeros.

10 a] Lee de nuevo las preguntas de 9a). Fíjate en cómo se han utilizado los interrogativos *qué*, *cuál* y *cuáles*: ¿alguno de ellos no va seguido nunca de un sustantivo?

b] Observa los recuadros de la actividad 8 y escribe varias preguntas sobre ellos incluyendo esos interrogativos.

¿Cuál de estos países es el más poblado de América: Brasil o Estados Unidos?

c] Cierra el libro y formúlaselas a tu compañero para comprobar si tiene buena memoria.

¿Sabes cuál de estos países es el más poblado de América: Brasil o Estados Unidos?

11 **a]** Un oyente ha escrito parte de las preguntas de un concurso de radio sobre geografía de Hispanoamérica. Escucha la grabación y completa las preguntas.

- ¿Por cuál de estos países suramericanos no pasan _____ : Chile, Argentina o Uruguay?

- ¿En qué país está la catedral _____ de Hispanoamérica?

- ¿En qué país están _____ de Tikal?

- ¿Cuál de estos lagos es _____ de Hispanoamérica: el lago Nicaragua, el Titicaca, el lago Maracaibo?

- ¿Cuál es el país _____ de Hispanoamérica?

b] Escucha de nuevo y comprueba.

c] Haz las preguntas a tus compañeros y anota las respuestas.

¿Sabes en qué país...?

d] Escucha la segunda parte del concurso y comprueba las respuestas. ¿Las sabías?

12 En grupos de tres. Vais a elaborar un cuestionario de diez preguntas sobre el mundo latino, vuestro país u otros que conozcáis. Seguid estos pasos:

a] Decidid sobre qué temas vais a hacer las preguntas. Tomad nota individualmente de lo que acordéis.

b] Redactad entre los tres cada una de las preguntas. Luego ponedle un título al cuestionario.

c] Jugad con otro grupo: hacedle vuestras preguntas y responded a las suyas; si no estáis seguros de una respuesta, tenéis 30 segundos para poneros de acuerdo. Anotaos un punto por cada respuesta correcta.

d] Pasadle al otro grupo el cuestionario que habéis redactado en b) y corregid el suyo. Restadle medio punto por cada error que encontréis.

RECUERDA

Comunicación

Hablar de experiencias personales
- ¿Has ido alguna vez a Latinoamérica?
- No, no he ido nunca.
- Sí, he ido este año.
- Sí, fui el año pasado de vacaciones a Perú y...

Describir un lugar
- ¿Cómo son los Andes?
- Impresionantes. Tienen unas montañas altísimas y...

Gramática

Pretérito perfecto-indefinido
(Ver resumen gramatical, apartado 2.4)

Comunicación

Hablar de las últimas vacaciones
- Estuve en Madrid y me gustó mucho. Visité muchos sitios: el Madrid de los Austrias, el Museo del Prado... Todos los días me acostaba muy tarde porque... Un día conocí a...

Gramática

Pretérito indefinido-imperfecto
(Ver resumen gramatical, apartados 2.1. y 2.2)

Comunicación

Hacer comparaciones: destacar una cosa entre varias
- Ciudad de México es una de las ciudades más grandes del mundo.
- Ciudad de México es la ciudad americana que tiene más habitantes.

Gramática

Superlativo relativo
(Ver resumen gramatical, apartado 7)

Comunicación

Pedir y dar información de carácter cultural
- ¿(Sabes) Cuál es la capital más alta del mundo?
- ¿Cuál de estos ríos es más largo: el Orinoco o el Amazonas?
- ¿Por qué países pasa el Amazonas?

Pedir la confirmación de una información
- El país hispanoamericano que produce más café es Colombia, ¿verdad?

Gramática

Interrogativos: qué - cuál/cuáles
(Ver resumen gramatical, apartado 8)
Preposiciones + interrogativos
(Ver resumen gramatical, apartado 9)

Comunicación

Expresar probabilidad
- ¿Cuál es el país de habla hispana que tiene más habitantes?
- No sé, pero debe de ser México.
- No sé, pero tiene que ser México.

Gramática

Deber (de) + infinitivo
Tener que + infinitivo
(Ver resumen gramatical, apartado 10)

LA PAPA: DE LOS ANDES A TODO EL MUNDO

1 a) Responde a estas preguntas:

- ¿Sabes qué es una papa?
- ¿Dónde se usa esa palabra?
- ¿Qué otra palabra significa lo mismo?

b) Lee este texto para comprobar tus respuestas.

BREVE HISTORIA DE LA PAPA

La papa, o patata, como se la conoce en España, es originaria de los Andes, donde se comenzó a cultivar hace unos 5 000 años porque resistía las bajas temperaturas de las montañas. Para los incas era tan importante que tenían una diosa con forma de patata, Papamama, a la que adoraban.

Parece que los españoles introdujeron la papa en Europa en el siglo XVI, pero su consumo no se popularizó hasta el siglo XVIII. Un hospital de Sevilla fue el primer lugar europeo en el que se utilizó para alimentar a personas. En aquella época se pensaba que solo servía para curar enfermedades. Después

llegó a otros países, entre ellos Francia. Fue precisamente un farmacéutico y botánico francés, Antoine Auguste Parmentier, quien la popularizó en el siglo XVIII; escribió varias publicaciones sobre ella y le regaló una planta de papa al rey Luis XVI asegurándole que allí estaba el secreto para evitar el hambre de su país. Y así fue; la producción y el consumo generalizados de ese vegetal no solo remediaron el hambre en Francia, sino en toda

Europa. Desde entonces ha sido un alimento fundamental en el Viejo Continente.
Entre 1845 y 1851 una enfermedad destruyó las plantas de patata en Irlanda. Las consecuencias fueron catastróficas: un millón de irlandeses murió de hambre y otro millón tuvo que emigrar. En la actualidad sigue siendo un alimento básico en la lucha contra el hambre, y su producción y consumo están aumentando en muchas partes del Tercer Mundo.

c) Completa con las palabras adecuadas.

El ser humano empezó a consumir patatas en......................, hace varios miles de años. En el siglo XVI, los................. las llevaron a España. En aquella época la gente no pensaba que era un................... que se podía tomar en las comidas. .... fue el país donde se generalizó su consumo......... siglos más tarde. Posteriormente sirvió para solucionar el problema del................ en Europa; actualmente se usa con el mismo fin en............................... .

Latina

2 a) Relaciona las preguntas con las respuestas.

1. ¿Se comen muchas papas en la actualidad?

2. ¿Cuántas variedades de papas existen?

3. ¿Engordan mucho?

4. ¿En qué época del año se recolectan?

5. ¿Deben congelarse?

A. Unas 5 000. Muchas de ellas son silvestres y se crían en los Andes.

B. Sí, es el segundo alimento más consumido del mundo; el primero es el arroz.

C. En las cuatro estaciones, pero sus cualidades no son las mismas en todas las épocas del año.

D. En principio, no, pero depende de la forma de cocinarlas.

E. No, porque las bajas temperaturas transforman el almidón en azúcar y cambian de sabor.

b) Comenta con la clase las informaciones más curiosas o interesantes que hayas descubierto en las actividades 1 y 2. ¿Puedes añadir tú alguna otra?

3 a) Lee este fragmento de un poema de Pablo Neruda.

ODA A LA PAPA

Papa
te llamas,
papa
y no patata,
no naciste con barba,
no eres castellana:
eres oscura
como
nuestra piel,
somos americanos,
papa,
somos indios.

PABLO NERUDA, *Odas elementales.*

Pablo Neruda

b) Piensa en las respuestas a estas preguntas y luego coméntalas con la clase.

● ¿Menciona Neruda alguna característica física de personas que no son indios? ¿A quiénes se refiere?

● ¿Y alguna característica de los indios?

● ¿Cuál es la idea principal que quiere expresar el autor?

4

¿Qué es de tu vida?

- Narrar hechos de nuestra vida
- Interesarse por alguien
- Expresar alegría
- Expresar pena
- Expresar sorpresa

1 **a]** Averigua qué significan las palabras que no entiendas

enamorarse

sacarse el carné de conducir

separarse

titularse

casarse

ir al extranjero

trasladarse a otra ciudad

dejar un trabajo

estar en paro

ganar un premio

encontrar trabajo

cambiar de trabajo

b] ¿Cuáles de esos hechos has realizado alguna vez en tu vida? Coméntalo con un compañero. ¿Qué cosas tenéis en común?

- (Yo me he sacado el carné de conducir).
- (Yo no, pero he cambiado de trabajo; antes..., pero ahora...).

2 Lee estas frases y responde a las preguntas que hay más abajo.

Cuando empecé a trabajar ya me había sacado el carné de conducir.

Yo me saqué el carné de conducir a la primera porque había practicado mucho con el coche.

¿Qué verbos se han utilizado en cada caso para expresar una acción pasada, anterior a otra acción pasada?

¿Puedes decir cómo se han construido esas formas verbales?

FÍJATE

Para expresar una acción pasada anterior a otra:

Pretérito pluscuamperfecto
Pretérito imperfecto de *haber* + participio

Había	estudiado
Habías	conocido
Había	ido
Habíamos	hecho
Habíais	vuelto
Habían	...

3 **a]** Relaciona un elemento de cada columna para formar frases completas.

1. Hablaba italiano perfectamente porque... C

2. Mis padres me regalaron una bicicleta porque... D

3. Estaba en paro porque... B

4. Tenía muchas ganas de conocer
   a Andrea porque... A

A ... me habían hablado muy bien de ella.

B ... la habían echado del trabajo.   *sacked*

C ... había vivido dos años en Roma.

D ... había aprobado todos los exámenes.

tener muchas ganas de = to look forward to

b] Completa estas frases:

1. No aprobó el examen porque no .... *había trabajado sufficientemente*

Estaba 2. ~~Era~~ *muy cansado*. porque no había tenido vacaciones en todo el año.

3. Encontró un trabajo muy bueno .... *después había hablado con Tony Blair.*

4. ~~Ese~~ .... porque había ganado mucho dinero.
   La semana pasada dejé mi trabajo

c] Compara tus frases con las de un compañero. ¿Habéis pensado lo mismo?

4 a) Trata de recordar cuántos años tenías cuando hiciste cada una de estas cosas por primera vez.

conduje
condujiste

Conducir un coche

Ir a una entrevista de trabajo

Hacer un viaje largo solo/a

Subir a un avión

Escribir una carta

Ganar dinero

Salir con un/a chico/a

Hablar con un hispanohablante

Montar en bicicleta

Ir a un país de habla hispana

b) Pregunta a un compañero cuántos años tenía cuando hizo por primera vez las actividades del apartado a) y anota las edades que te diga.

- ● *¿Cuántos años tenías cuando condujiste un coche por primera vez?*
- ● *Dieciocho. ¿Y tú?*
- ● *Yo no he conducido nunca un coche.*

c) Dile a la clase las informaciones más sorprendentes que hayas descubierto.

La primera vez que (David) estuvo en España tenía... años.

5 a) Ahora relaciona las informaciones que tienes sobre tu compañero y escribe frases sobre él. (No menciones las edades que has anotado en la actividad anterior.)

Cuando (David) condujo un coche por primera vez, ya había estado en España.
Cuando hizo un viaje largo solo por primera vez, todavía no había conducido un coche.

b) Enséñaselas a tu compañero para que te confirme si son verdaderas o falsas.

6 Piensa en tres o cuatro cosas que has hecho en tu vida de las que tienes un buen recuerdo. Luego háblale de ellas a tu compañero, pero no le digas cuántos años tenías cuando las hiciste; él debe adivinarlo.

- ● *Una vez estuve en Madrid de vacaciones. Me lo pasé muy bien y fue una experiencia muy interesante: descubrí otra forma de vida...*
- ● *¿Ya habías empezado a estudiar español?*
- ● *Sí, pero hablaba muy poco.*
- ● *¿Ya habías cumplido veinte años?*
- ● *No, todavía no.*
- ● *Tenías diecinueve años.*
- ● *Sí.*

UN ENCUENTRO CASUAL

7 **a)** Lee el cómic y fíjate en el contexto para tratar de deducir el significado de estas palabras y expresiones.

- casualidad
- alegrarse de (algo)
- unos cuantos años
- ¿qué es de tu vida?
- envidia
- hace un año que salgo con una chica
- tener ganas (de hacer algo)
- pesado
- estar harto (de algo/alguien)
- pena
- ¿qué tal te van las cosas?
- me casé a los cuatro años de terminar la carrera
- dentro de dos días

b) Comenta tus hipótesis con un compañero. ¿Coincidís en alguna de las suposiciones?

c) Comprobad con el profesor si son acertadas.

8 Lee de nuevo el cómic y señala si estas afirmaciones son verdaderas o falsas.

	v	f
1. Laura y Pablo se ven con frecuencia.	☐	☐
2. Pablo quiere cambiar de trabajo.	☐	☐
3. Su jefe le cae muy mal.	☐	☐
4. Laura se casó cuatro años después de acabar la carrera.	☐	☐
5. El día que se encuentran por casualidad Laura y Pablo es martes.	☐	☐
6. Quedan para cenar juntos dos días más tarde.	☐	☐
7. La primera vez que se ven Pablo y el marido de Laura es el sábado.	☐	☐

9 **a)** Escribe estas frases en el lugar correspondiente.

interesarse por alguien

¿Qué es de tu vida?

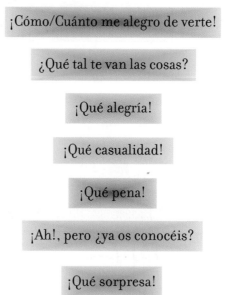

¡Cómo/Cuánto me alegro de verte!

¿Qué tal te van las cosas?

¡Qué alegría!

¡Qué casualidad!

¡Qué pena!

¡Ah!, pero ¿ya os conocéis?

¡Qué sorpresa!

¡Cuánto lo siento!

alegría

¡Qué bien!

pena

¡Qué lástima!

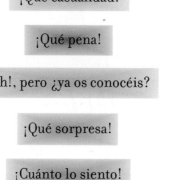

sorpresa

¡Tú por aquí!

b) Ahora escucha estas frases y repítelas. Fíjate bien en la entonación.

1. ¡Pablo! ¡Qué casualidad!
2. ¡Cómo me alegro de verte!
3. ¡Cuánto tiempo sin vernos!
4. ¡Cómo pasa el tiempo!, ¿eh?
5. Y, bueno, cuéntame: ¿qué es de tu vida?
6. ¡Qué bien! ¡Qué envidia me das!
7. ¡Vaya! ¡Qué pena!
8. ¡Cuánto lo siento!
9. ¿Qué tal te van las cosas?
10. ¡Hombre, Pablo, qué sorpresa!, ¡tú por aquí!
11. ¡Ah!, pero ¿ya os conocéis?

10 Completa estos diálogos con frases de la actividad anterior.

11 Responde a las preguntas.

- ¿Qué expresión utilizada en el cómic de 7a) significa "cuatro años después"?

  ¿Y "dos días más tarde"?

- ¿Cuál de ellas se ha usado para referirse al pasado?

  ¿Y para referirse al futuro?

FÍJATE

Para narrar hechos de nuestra vida:

a	los / las / la	+ cantidad de tiempo (+ de + infinitivo)
	al	

PASADO — dos años / PRESENTE FUTURO

2000 conocerse — 2002 casarse — X

Nos conocimos en el año 2000 y nos casamos a los dos años.
Nos casamos a los dos años de conocernos.

- **Dentro de + cantidad de tiempo**

PASADO PRESENTE — un año — FUTURO

terminar la carrera

Terminaré la carrera dentro de un año.

Para terminar...

12 a) Vas a escuchar a dos antiguos amigos, Sonia y Felipe, que se acaban de reencontrar.

 Él le cuenta lo que ha hecho desde la última vez que se vieron. Numera las ilustraciones en el orden en que Felipe menciona los hechos.

1. Hace ...	5 años	A. boda
2. Hace ...	4 años	B. divorcio
3. Hace ...	3 años y 6 meses	C. final de carrera
4. Hace ...	3 años	D. trabajo independiente
5. Hace ...	1 año	E. trabajo en una multinacional
6. Dentro de ...	1 mes	F. traslado a Argentina
		G. traslado a Barcelona
		H. regreso a Valencia

b) Vuelve a escuchar la grabación y empareja los hechos con las fechas de la izquierda.

13 a) Piensa en los últimos cinco años de tu vida, en los cambios y hechos importantes que se han producido.

b) ¿Qué dirías si te encontraras por casualidad con un antiguo compañero de estudios con el que no estás en contacto? Selecciona las expresiones que utilizarías.

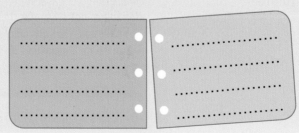

c) En parejas. Imagina que vas por la calle y te encuentras casualmente con un ex compañero de estudios al que no has visto en los últimos cinco años.

Reacciona con sorpresa y alegría, interésate por su vida y háblale de la tuya.

RECUERDA

Comunicación

Expresar una acción pasada, anterior a otra acción pasada
- Cuando empecé a trabajar ya había terminado la carrera.

Gramática

Pretérito pluscuamperfecto
(Ver resumen gramatical, apartados 1.3 y 2.5)

Comunicación

Narrar hechos de nuestra vida
- La primera vez que salí de mi país fui a Venezuela.
- Encontré trabajo a las tres semanas de llegar aquí.
- Volveré a mi país dentro de dos semanas.

Gramática

Repaso imperfecto-indefinido
(Ver resumen gramatical, apartado 2.3.2)

A los/las/... + cantidad de tiempo (+ de + infinitivo)
(Ver resumen gramatical, apartado 11.2)

Dentro de + cantidad de tiempo
(Ver resumen gramatical, apartado 11.1)

Comunicación

Interesarse por alguien
- ¿Qué es de tu vida?

Expresar alegría
- ¡Cómo/cuánto me alegro de verte!

Expresar pena
- ¡Qué pena!

Expresar sorpresa
- ¡(Hombre,) Tú por aquí!

Gramática

Frases para expresar sentimientos
(Ver resumen gramatical, apartado 12)

Descubre España y América

1 Relaciona estos nombres de tapas con las fotos.

- jamón serrano
- queso manchego
- calamares a la romana

- chorizo frito
- champiñones
- gambas al ajillo

- ensaladilla rusa
- tortilla de patata

1. Tortilla de patata.

Latina

2 a) Comenta con tus compañeros las respuestas a estas preguntas:

- ¿Has pensado alguna vez por qué esos alimentos se llaman "tapas"?
- ¿Puede tener relación ese nombre con uno de los significados del verbo tapar: "cerrar o cubrir algo que está abierto o descubierto"? ¿Por qué?

b) Lee este texto y averigua si tus hipótesis son correctas.

ORIGEN Y ACTUALIDAD DE LAS TAPAS

Las tapas nacieron como consecuencia de una ley que dictó el rey Alfonso X el Sabio en el siglo XIII para tratar de evitar los problemas que causaban los efectos del alcohol. Ese rey prohibió servir vino en los mesones de Castilla si no iba acompañado con algo de comida. Entonces, los hosteleros empezaron a servir alimentos como pan, queso, morcilla, etc. encima del vaso, tapándolo, y eso dio origen al nombre "tapa". Actualmente llamamos tapas a muchos platos fríos o calientes que se sirven para acompañar la bebida, generalmente vino, cerveza, vermú o refrescos. El "tapeo", o acción de tomar tapas, suele tener lugar antes del almuerzo y de la cena, y en ocasiones puede sustituir a estas comidas. Uno de sus aspectos más peculiares es su carácter colectivo: habitualmente se consumen de pie, junto a la barra del establecimiento, y en grupos de personas que comparten alimentos y conversación. Por otra parte, en muchas zonas de España se conserva todavía la buena costumbre de poner un pincho o una tapa gratis con la bebida. La cantidad de comida es menor que la de una ración, pero es un detalle que los clientes aprecian y sus estómagos agradecen.

c) ¿Por qué se mencionan estas palabras? Explícalo.

| ley | tapar | platos fríos o calientes | tapeo | gratis |

Se menciona la palabra "ley" porque un rey español...

d) Completa el cuadro con palabras del texto.

establecimientos de hostelería	nombres de alimentos	comidas	bebidas	porciones de alimentos
		almuerzo		

e) Comenta las respuestas a estas preguntas con tus compañeros.

- ¿Has probado las tapas españolas? ¿Cuáles te gustan más?
- ¿Existen en tu país platos que te recuerden a las tapas?
- ¿Tenéis alguna costumbre que te haga pensar en el tapeo? ¿Cuándo y cómo se practica? ¿Qué se toma?

juego de vocabulario

1 a) Busca en las lecciones 1-4 y anota seis palabras o expresiones que te parezcan útiles o te resulten difíciles.

b) Muéstraselas a tu compañero y explícale las que no entienda. Si coinciden algunas expresiones, seleccionad otras hasta completar una lista de doce en total.

c) Jugad con otra pareja. Por turnos, un miembro de una pareja dice una palabra a un miembro de la otra y este debe construir una frase con esa palabra para conseguir dos puntos. Si no lo hace correctamente y sí su compañero, obtienen un punto. Gana la pareja que consiga más puntos.

2 a) Escribe en tu cuaderno la traducción de estas frases en tu lengua.

> Llevo cuatro años viviendo en esta ciudad.
> Hablo español desde que conocí a mi amiga chilena.
> Estudio aquí desde hace dos años.
>
> Los idiomas se me dan bastante bien.
> Lo que más me gusta de este país es el carácter de la gente.
> Lleva ocho horas durmiendo.

b) Cierra el libro y tradúcelas al español.

c) Compáralas con las de tu compañero y corregid lo que creáis necesario.

d) Escribe la pregunta que te parezca más adecuada a cada una de las frases de a).

3 a) Lee este poema del poeta salvadoreño Carlos Ernesto García.

> **Primer beso**
>
> *A una muchacha cuyo nombre no recuerdo.*
>
> Cuando te besé
> (fue en casa de una amiga tuya
> que me gustaba)
> era la primera vez que te besaban.
>
> Sentí tu cuerpo temblar contra la tierra.
>
> Nunca más volví a verte ni besarte
> pero cuando te recuerdo
> no sé por qué
> aún siento tu cuerpo temblar contra la tierra.

b) Ahora responde a estas preguntas:

- ¿A quién le dio el beso?
- ¿Cuándo crees que fue?
- ¿Quién crees que había allí?
- ¿Se vieron más veces?

4 a) Observa las ilustraciones. ¿Cuál crees que es la relación entre esas personas? Coméntalo con tu compañero.

A  **B**  **C**

b) Escucha a tres personas que cuentan un encuentro no esperado. Señala a qué dibujo del apartado a) se refiere cada una.

c) Vuelve a escuchar y toma notas sobre los siguientes aspectos:

¿Con quién se encontraron?	¿Cuándo y dónde?	Circunstancias	¿Cómo se sintieron?

5 a) Aquí tienes un cómic incompleto de una autora argentina: Maitena. Léelo y averigua el significado de las palabras que no entiendas.

b) Ahora escribe cada una de estas frases encima de la viñeta correspondiente.

> 20 AÑOS, CON TUS EX COMPAÑERITOS DE COLEGIO

> 30 AÑOS, CON TU ACTUAL COMPAÑERO DE TRABAJO

> 10 AÑOS, CON TUS COMPAÑERAS DE COLEGIO

c) Busca en el cómic las formas verbales en presente e imperativo que se usan con *vos* y anótalas. Escribe también sus infinitivos.

presente	infinitivo		imperativo	infinitivo
sabés	saber		mirá	mirar

Estrategias de aprendizaje

6 *a)* ¿Recuerdas algún encuentro no esperado que has tenido alguna vez con alguien? Piensa en los siguientes aspectos y toma nota de todo ello.

dónde

con quién

las circunstancias

cuándo

cómo te sentiste

qué hicisteis

b) Decide en qué orden vas a escribir sobre esas cosas y redacta el texto.

> Una vez me encontré con...
> (Fue hace dos años en...)

c) Revísalo. Comprueba si has expresado todo lo que querías expresar y si están claras las ideas. Haz también todas las correcciones que consideres convenientes y pásalo a limpio si es necesario.

d) Intercámbialo con un compañero y corrige el suyo. Después, comentad los errores y las posibles sugerencias.

7 *a)* Lee este texto y asegúrate de que lo entiendes.

Un taxista de Madrid paró para recoger a una señora que llevaba una maleta. Cuando salió del taxi para meter la maleta en el maletero comprobó que la mujer hablaba muchísimo y, como él no estaba de buen humor, decidió simular que era sordomudo. Para hacérselo entender a la señora se señaló los oídos y la boca, y explicó con gestos que no oía ni hablaba. Cuando llegaron al destino de la mujer, el taxista señaló la cantidad que marcaba el taxímetro. Ella pagó y se fue, pero entonces comprendió que el taxista no era sordomudo.

b) Piensa en las respuestas a estas preguntas:

- ¿Por qué descubrió la señora que el taxista no era sordomudo?
- ¿Qué había pasado?

c) Coméntalo con tu compañero. ¿Estáis de acuerdo?

d) Decídselo a la clase. El profesor os confirmará si vuestras respuestas son acertadas.

la coartada

8 Imaginad que ayer tuvo lugar un robo a las 6 de la tarde en el centro donde estudiáis español. Los ladrones se llevaron 1 000 euros, y los detectives de la agencia La Pista están investigando el caso.

a) En grupos de cuatro. Dos de vosotros (A y B) sois detectives, y los otros dos (C y D) sois dos sospechosos que ayer estuvisteis juntos toda la tarde e hicisteis las mismas cosas.

Los detectives tenéis que escribir las preguntas que vais a hacer a los sospechosos para averiguar todo lo que hicieron de 5 a 7 de la tarde y obtener todo tipo de detalles.

- ¿Dónde estabas a las cinco de la tarde?
- ¿Qué estabas haciendo (a esa hora)?
- ¿Qué hiciste después?

A-B

Los dos sospechosos tenéis que decidir lo que hicisteis entre las 5 y las 7 de la tarde con todo tipo de detalles, y tomar nota de ello. ¡Preparad una buena coartada!

- A las 5 de la tarde estábamos en el café Comercial. Yo estaba tomando una cerveza.
- Y yo, un café con leche. Había mucha gente...

C-D

b) Los detectives vais a hacer dos interrogatorios, uno al sospechoso C y otro al D. Mientras uno es interrogado, el otro debe permanecer fuera del aula para no oír las preguntas. Los sospechosos solo pueden decir "no me acuerdo" dos veces. Si coinciden sus respuestas, serán considerados inocentes; si no, serán culpables.

c) Los detectives vais a informar a la clase del resultado del interrogatorio y de vuestras conclusiones.

Creemos que (Victoria y Patrick son culpables porque Victoria ha dicho que a las... estaban...; en cambio, Patrick ha dicho que a esa hora...).

Repaso

1·2·3·4

¿bien o mal?

9 Antes de empezar a jugar con tus compañeros, lee las instrucciones y asegúrate de que las entiendes.

1. En grupos de tres o cuatro. Juega con un dado y una ficha de color diferente a la de tus compañeros.

2. Por turnos. Tira el dado y avanza el número de casillas que indique.

3. Si caes en una casilla con una o varias frases, decide si están bien o mal y, en este caso, corrígelas.

4. Si tus compañeros están de acuerdo con lo que dices, quédate en esa casilla.
   Si no están de acuerdo contigo, consultad al profesor para ver quién tiene razón.
   Si estás equivocado/a, vuelve a la casilla donde estabas.

En otras lecciones posteriores podéis utilizar este juego con vuestras propias frases, así podréis tratar de resolver vuestras dificultades.

30 - Cuando empecé a estudiar español ya he estado en España de vacaciones.	**llegada**			
29 - Juana y yo nos encontramos el lunes pasado por casualidad y dentro de dos días volvimos a encontrarnos.	**28** - No sé cuál es el país hispanoamericano más poblado, pero debe de ser México.	**27** - ¿Qué tal te da la Biología? - ¡Ah!, muy bien; es que me gusta mucho y no me parece muy difícil.	**26** - ¿Cuánto tiempo hace que estuviste en Uruguay? - Algo más de dos años.	**25** - Cuando llegué a su casa estaban cenando y me invitaban a cenar.
20 - Estoy segura de que dentro de unos años viviré en otro país y mi vida será muy distinta...	**21** - Creo que tenía unos dieciséis años cuando conducí un coche por primera vez.	**22** - Anoche, como estaba muy cansada, me acostaba muy pronto.	**23** - Y a ti, ¿qué tal van las cosas? - Bastante bien, como siempre.	**24** - ¡Cuánto me alegro por verte! - A mí también.
19 - ¿En cuál estos dos países nace el Amazonas: en Perú o en Colombia? - Creo que en Perú.	**18** - Cuando te conocí me pareciste una persona muy alegre.	**17** - Fidel y yo nos hicimos muy buenos amigos cuando éramos niños.	**16** - Se calcula que en América Latina hay más que 30 millones de indios.	**15** - ¿Desde cuándo trabajas aquí? - Desde hace abril.
10 - Normalmente, todos los días volvía a casa en metro, pero aquel día decidía volver en taxi.	**11** - Un amigo es una persona que me entiende y me ayuda si lo necesito.	**12** - China es el tercer país más grande en el mundo.	**13** - En muchos bares españoles te sirven algo de comida gratis cuando pides una bebida.	**14** - ¡Pero, hombre, Germán!, ¡tú para aquí!
9 - Tengo muchas ganas a verte... • Yo también, cariño.	**8** - ¿Qué es con tu vida? ¿Sigues trabajando en la misma empresa? • No, cambié de trabajo hace unos meses...	**7** - Ayer conocí a tu amigo Héctor y me caí muy bien.	**6** - ¿Cuál es el país hispanoamericano que no tiene ejército nacional?	**5** - ¡Cuánto tiempo sin verte, Paloma! • Pues sí... por lo menos un año.
salida	**1** - ¿Cuánto tiempo llevas saliendo con Raúl? • Más de un año.	**2** - ¿Dónde conociste Mónica? • En una estación de tren. Estábamos esperando el tren y...	**3** - ¿Has estado alguna vez en España? - Sí, he estado el año pasado. ¿Y tú? - Yo he estado dos veces.	**4** - San Marino es uno de los países más pequeños que existen en el mundo.

Recursos para aprender más

la biblioteca de español

10 a) Lee este texto sobre la lectura y averigua el significado de las palabras nuevas.

> Leer nos enriquece la vida. Con el libro volamos a otras épocas y a otros paisajes; aprendemos el mundo, vivimos la pasión o la melancolía. La palabra fomenta nuestra imaginación: leyendo inventamos lo que no vemos, nos hacemos creadores. (...) Hace siglos la imprenta nos libró de la ignorancia llevando a todos el saber y las ideas. El alfabeto fomentó el pensamiento libre y la imaginación.
>
> JOSÉ LUIS SAMPEDRO

b) ¿Estás de acuerdo con lo que dice José Luis Sampedro? ¿Añadirías tú algún otro beneficio que aporta la lectura?

c) ¿También disfrutas leyendo en español? ¿Lees alguno de estos tipos de publicaciones? ¿Y algún otro que no está en la lista? Díselo a un compañero y comprueba si tienes los mismos gustos que él.

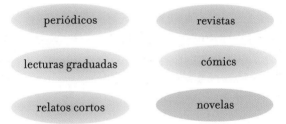

periódicos   revistas

lecturas graduadas   cómics

relatos cortos   novelas

d) Piensa en uno de los últimos libros que has leído en español y rellena esta ficha (si se trata de una historia, no cuentes el final).

FICHA DE LECTURA:

Lector/a: ....
Título: ....
Autor/a: ....
Tipo de libro: ....
Resumen: ....
....
¿Te ha gustado? ....
¿Es fácil de leer? ....
Otros comentarios: ....

e) Colócala en una pared del aula y lee las fichas elaboradas por tus compañeros para decidir cuál es el próximo libro que vas a leer.

f) Cada vez que leas un libro rellena una ficha como la del apartado d) y déjala en el fichero de la biblioteca de tu centro de estudios para que tus compañeros la consulten cuando quieran elegir un libro.

5

Carácter y sentimientos

OBJETIVOS

- Describir el carácter de una persona
- Hablar de relaciones personales
- Expresar impresiones
- Expresar parecidos
- Expresar sentimientos y cambios de estados de ánimo

ESTRATEGIAS DE APRENDIZAJE: TÉCNICAS DE MEMORIZACIÓN

1 **a]** Lee lo que dicen estos estudiantes sobre técnicas para aprender vocabulario. ¿Cuál de las estrategias mencionadas utilizas tú?

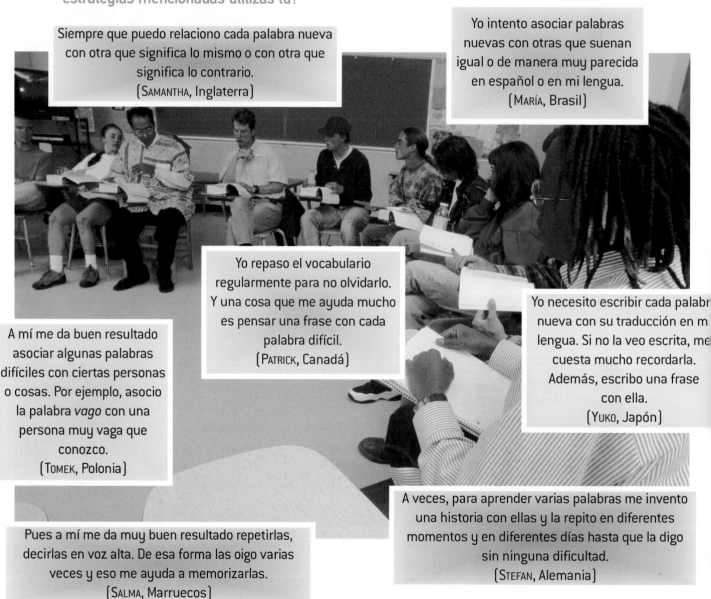

Siempre que puedo relaciono cada palabra nueva con otra que significa lo mismo o con otra que significa lo contrario.
(SAMANTHA, Inglaterra)

Yo intento asociar palabras nuevas con otras que suenan igual o de manera muy parecida en español o en mi lengua.
(MARÍA, Brasil)

Yo repaso el vocabulario regularmente para no olvidarlo. Y una cosa que me ayuda mucho es pensar una frase con cada palabra difícil.
(PATRICK, Canadá)

Yo necesito escribir cada palabra nueva con su traducción en mi lengua. Si no la veo escrita, me cuesta mucho recordarla. Además, escribo una frase con ella.
(YUKO, Japón)

A mí me da buen resultado asociar algunas palabras difíciles con ciertas personas o cosas. Por ejemplo, asocio la palabra *vago* con una persona muy vaga que conozco.
(TOMEK, Polonia)

A veces, para aprender varias palabras me invento una historia con ellas y la repito en diferentes momentos y en diferentes días hasta que la digo sin ninguna dificultad.
(STEFAN, Alemania)

Pues a mí me da muy buen resultado repetirlas, decirlas en voz alta. De esa forma las oigo varias veces y eso me ayuda a memorizarlas.
(SALMA, Marruecos)

b] ¿Aplicas, además, otras estrategias? ¿Cuáles te resultan más útiles?

c] Elige una palabra que consideres difícil de recordar y pregunta a tus compañeros qué técnica han utilizado para memorizarla. ¿Crees que también te puede servir a ti?

2 **a]** Señala cuáles de estas palabras no entiendes y averigua su significado. Aplica las estrategias que consideres apropiadas para tratar de memorizarlas.

sincero	optimista	majo
tímido	abierto	nervioso
egoísta	imaginativo	sensible
orgulloso	trabajador	solidario
inseguro	vago	cariñoso
tranquilo	miedoso	responsable
cerrado	insolidario	irresponsable
alegre	pesimista	reflexivo
	temperamental	

b] Copia en tu cuaderno las palabras que no conocías. Luego cierra el libro y escribe la traducción en tu lengua.

3 **a]** Pronuncia todas las palabras de 2a).

b] Selecciona las palabras que te resulten más difíciles de pronunciar y practícalas con ayuda del profesor. Presta especial atención a las que son parecidas en tu lengua pero no se pronuncian igual.

4 **a]** ¿Cuáles de los adjetivos de 2a) pueden tener sentido positivo? ¿Y negativo? Escríbelos en la columna correspondiente.

sentido positivo	sentido negativo
sincero	

b] Subraya los adjetivos que tengan la misma forma en masculino y femenino. Fíjate en sus terminaciones y formula la regla.

> Los adjetivos terminados en .... tienen la misma forma en masculino y en femenino.

CUANTIFICADORES

5 **a]** Asegúrate de que entiendes estas expresiones, que se pueden usar con los adjetivos de 2a).

algo   demasiado   (un) poco

más bien   nada   muy   bastante

b] Trata de ordenarlas de más a menos según el significado que pueden tener.

➕ ⟶ ➖

demasiado...

6 **a]** Lee las viñetas y completa los diálogos con estas frases.

Esta niña es un poco egoísta.

Soy muy poco trabajador.

Este alumno es un vago.

b] Lee las viñetas de nuevo con atención y responde a las preguntas.

- ¿El adjetivo que se ha utilizado con *un poco* tiene sentido positivo o negativo?
- ¿Y el que se ha empleado con *poco*?
- ¿Y el que se ha usado con *un*?

7 **a]** Completa esta ficha.

	(Creo que) Soy...	Me gustan las personas que son...
... muy		
... más bien		
... un poco		
... algo		
... bastante		
... poco		
... demasiado		
... (no)... nada		

b] Compara tu ficha con la de un compañero. ¿Creéis que sois compatibles? Comentadlo y justificad vuestra respuesta.

Yo creo que somos compatibles porque (a ti te gustan las personas bastante optimistas y yo soy más bien optimista)...

8 Vas a escuchar a dos amigos, Rocío y Alberto, hablando acerca de si son compatibles.

a] Escucha a Alberto y toma notas sobre el tipo de personas que le gustan.

b] **Vuelve a escuchar a Alberto y comprueba los resultados. Luego escucha a Rocío y compara su personalidad con la de Alberto. ¿Crees que son compatibles?**

9 **a]** Piensa en el carácter de una persona, famosa o no, conocida por tus compañeros.

b] En grupos de cuatro. Descríbeles a tus compañeros el carácter de esa persona para que adivinen de quién se trata. Si tienen dificultades para hacerlo, puedes darles otro tipo de informaciones.

RELACIONES PERSONALES, IMPRESIONES Y PARECIDOS

10 a) Lee lo que dicen estas personas y asegúrate de que lo entiendes.

> A mí mi jefe me cae bastante mal: me parece una persona egoísta, insolidaria y orgullosa.
>
> JUAN

> Yo me llevo muy bien con mi compañera de oficina, tengo mucha confianza con ella y nos entendemos perfectamente.
>
> ÁLVARO

> Yo me parezco mucho a mi padre: soy igual que él y tenemos la misma forma de ser.
>
> MERCHE

b) ¿Verdadero o falso? Lee estas informaciones y señálalo en la tabla.

	V	f
Álvaro se lleva estupendamente con su compañera de oficina.	✓	
A Juan su jefe no le cae nada bien.	✓	
Merche y su padre se parecen en la forma de ser.	✓	

11 Observa cómo se han utilizado los verbos *caer* y *llevar* en los textos de 10a), y con qué pronombres. Luego completa este cuadro.

FÍJATE

Pronombres de objeto indirecto:

[A mí]		me	genial
[A ti]		—	estupendamente
[A él/ella/usted]	mi vecino	—	bien
[A nosotros-as]		— cae	mal
[A vosotros-as]		—	fatal
[A ellos/ellas/ustedes]		—	...

Pronombres reflexivos:

[Yo]	me	llevo	genial	
[Tú]	—	—	estupendamente	
[Él/ella/usted]	—	—	bien	con Isabel
[Nosotros-as]	—	—	mal	
[Vosotros-as]	—	—	fatal	
[Ellos/ellas/ustedes]	—	—	...	

12 a) Completa estas frases con informaciones sobre ti. No te olvides de utilizar los verbos *caer*, *llevarse* y *parecerse*.

1. ... me cae muy bien.
2. Yo me parezco bastante a ... .
3. Me llevo fatal ... .
4. El/La presidente/a de mi país ... .
5. .... mi profesor/a de español.
6. ... mi abuela.
7. El director del centro donde estudio ... .
8. Mi padre y yo ... .

b) Intercámbialas con tu compañero y comprueba si ha escrito alguna cosa que te sorprenda.

13 Piensa en personas con las que os relacionáis tu compañero y tú. Selecciona dos con las que te llevas bien y una con la que te llevas mal; díselo a tu compañero y comprueba si coincides con él.

Yo me llevo... con... Y tú, ¿cómo te llevas con él/ella?

14 En parejas. Haced una lista de tres o cuatro personajes famosos polémicos. Luego comentad cómo os cae cada uno de ellos.

A mí... me cae... Y a ti, ¿qué tal te cae?

SENTIMIENTOS Y CAMBIOS DE ESTADOS DE ÁNIMO

15 **a]** ¿Sabes qué significa *insomnio*? En caso negativo, lee el cómic y trata de deducirlo.

b] Lee de nuevo y anota las palabras y expresiones nuevas que has encontrado en el cómic.

no pegar ojo

c] En grupos de tres. Si tus compañeros conocen el significado de algunas de ellas, pídeles que te lo expliquen. Luego intentad deducir entre los tres el significado de las demás.

d] Comprobad con el profesor si vuestras deducciones son acertadas.

16 Completa este texto sobre el cómic.

Pepe Gutiérrez pasa muy malas noches; no se duerme, se ...*pone*... nervioso y, al final, ...*se*... enfada. Se levanta cansado y muy triste. La verdad es que no puede dormirse por la noche porque ...*(se) duerme*... mucho durante el día. Sus compañeros de trabajo ...*le*... han dado varias sugerencias, pero no le han servido de nada. Sin embargo, ha descubierto que hay una música que le relaja y ...*(que) le*... ayuda a dormirse. El problema es que cuando la pone en la oficina también ...*se*... duerme.

17 a) Subraya las palabras y expresiones utilizadas en el cómic para expresar sentimientos y estados de ánimo o físicos.

b) Fíjate en las expresiones formadas con los verbos *poner(se)* y *dar*. ¿Cuál de ellos va seguido de un sustantivo? ¿Y de un adjetivo?

c) Cada una de estas palabras puede usarse con uno de los verbos anteriores para formar expresiones fijas. Relaciona cada una con el verbo correspondiente.

• miedo   • triste   • risa   • vergüenza   • rojo   • contento   • lástima   • de buen/mal humor

18 a) Observa cómo podemos usar esas expresiones.

FÍJATE

Para expresar sentimientos y cambios de estados de ánimo:

• Me **da** miedo   **ir** al dentista.
el dentista.

Me **dan** miedo **los dentistas.**

• Me pone nervioso/a **discutir** con alguien.   • Me pongo nervioso/a | cuando discuto con alguien.
Me pon**en** nervioso/a **las discusiones.** | si discuto con alguien.

• Me molesta **oír** el ruido de las motos.
el ruido de las motos.
Me molest**an las** motos.

b) ¿Cuándo se emplea el verbo en 3ª persona singular? ¿Y en 3ª persona plural?

c) ¿Te identificas con alguna de estas informaciones? Coméntalo con un compañero.

❏ A mí me da bastante vergüenza hablar en público.
❏ Me pone de mal humor la gente que siempre está criticando a los demás.
❏ A mí no me dan miedo las serpientes.
❏ No soporto los atascos.
❏ A mí me preocupan mucho algunos problemas sociales.
❏ Yo me pongo nervioso/a cuando quiero decir algo y no sé cómo decirlo.

d) Fijándote en esas frases, comenta con tus compañeros los sentimientos que te produce...

● el buen tiempo   ● las injusticias   ● esperar a alguien que llega tarde
● los chistes buenos   ● la soledad   ● recibir una buena noticia

19 En grupos de cuatro. Preguntad a vuestros compañeros para averiguar si estas frases son verdaderas o falsas.

	V	f
Los cuatro os ponéis nerviosos cuando no comprendéis lo que os dicen.		
A uno de vosotros le da mucho miedo ir en avión.		
A ninguno de vosotros le molesta la publicidad de la televisión.		
A dos de vosotros os pone de mal humor no hablar con alguien.		
A todos os pone de buen humor cantar.		
A uno le da mucho miedo pensar en la muerte.		
Tres de vosotros os ponéis rojos si veis a alguien que os gusta.		
Todos os ponéis muy contentos cuando pensáis en una persona a la que queréis mucho.		

20 Escucha a Rocío y Alberto. ¿Qué sentimientos les producen estas situaciones? Anótalo.

Alberto		Rocío
....	no poder dormirme	....
....	tener que esperar en un restaurante	....
....	el fin de semana	....
....	las vacaciones	....
....	los accidentes de tráfico	....
....	los embotellamientos de tráfico	....
....	la mala educación	....

21 a] Piensa en los sentimientos que te producen estos temas:

la clase de español

el medio ambiente

la televisión

el trabajo

la política

b] Comprueba si le producen los mismos sentimientos a tu compañero.

- Me pongo de buen humor cuando el profesor pone canciones en clase. ¿Y tú?
- Yo también, es muy divertido.

c] Pregunta a tus compañeros de clase y toma nota de sus respuestas. ¿Tenéis muchas coincidencias?

RECUERDA

Comunicación

Describir el carácter de una persona
- Es una persona muy abierta, bastante alegre y un poco egoísta.

Gramática

Cuantificadores:
demasiado, bastante, muy, más bien, (un) poco, algo, nada
(Ver resumen gramatical, apartado 13.1)

Poco + adjetivo de sentido positivo
Un poco + adjetivo de sentido negativo
Un(a) + adjetivo de sentido negativo
(Ver resumen gramatical, apartados 13.2 y 13.3)

Comunicación

Hablar de relaciones personales
- □ ¿Qué tal te llevas con Elvira?
- O *Bastante bien, ¿y tú?*
- □ Yo me llevo fatal con ella; es insoportable.

Gramática

Llevarse bien/mal/regular... con alguien

Comunicación

Expresar la impresión que nos causa una persona
- □ A mí Andrea me cae bastante bien. ¿Y a ti, qué tal te cae?
- O *Regular, no muy bien.*

Gramática

Caer bien/mal/regular... a alguien

Comunicación

Expresar parecidos
- □ Yo me parezco mucho a mi padre. ¿Y tú?
- O A mi padre en el físico y a mi madre en la forma de ser.

Gramática

Parecerse a alguien (en...)

Comunicación

Expresar sentimientos y cambios de estado de ánimo
- A mí me da miedo la oscuridad.
- A mí me pone muy nerviosa la impuntualidad.
- Me da vergüenza hacer ciertas cosas en público.
- No soporto escuchar siempre las mismas excusas.
- Me dan miedo algunos perros.
- Yo me pongo nervioso cuando tengo un examen.

Gramática

Me da/n miedo	
Me pone/n nervioso/a	+ sustantivo singular/infinitivo
Me preocupa/n	+ sustantivo plural
Me molesta/n	
No soporto	

Me enfado	+ cuando/si + indicativo
Me pongo nervioso	

(Ver resumen gramatical, apartado 14)

EL CARÁCTER LATINO, VISTO POR LATINOS

1 a) Piensa en las respuestas a estas preguntas:

- ¿Qué sabes del carácter de los latinoamericanos en general? ¿Qué adjetivos emplearías para describirlo?
- ¿Qué cosas crees que les gusta hacer en su tiempo libre?

b) Díselo a tus compañeros. ¿Están de acuerdo contigo?

2 a) Escucha este fragmento de una canción cubana. ¿Cómo describe su autor a los latinoamericanos? ¿Qué dice sobre su tiempo libre?

SOMOS LATINOS

Nacen los rumberos en cualquier lugar:
Cuba, Venezuela, Puerto Rico, Panamá.
Somos una raza que no para de cantar,
que no puede vivir sin bailar.
Derroche de alegría, de cariño y amistad;
alegre simpatía que contagia a los demás.
Una sola voz, un solo pueblo y una misma manera de amar.

Nos gusta el mar, vacilar en una playa en la arena,
disfrutar a plenitud la luna llena
y bailar con el Gran Combo o los Van Van, lo mismo da.

Somos rumberos de bien, soñadores locamente enamorados;
en las cosas del amor acelerados; optimistas, guaracheros,
sin parar vamos a gozar
pero...
Que nacen los rumberos...

ADALBERTO ÁLVAREZ

Latina

b) Pregúntale al profesor qué significa lo que no entiendas.

c) ¿Estás de acuerdo con lo que se dice en la canción sobre los latinoamericanos? Coméntaselo a la clase.

3 Lee de nuevo la letra y responde a las preguntas.

- ¿Cómo se expresa en la canción que a los latinoamericanos les gusta mucho la música (intepretarla y bailarla)?
- ¿Y que son apasionados en el amor?

4 Escucha y canta la canción. Si quieres, puedes aprendértela (toda o una parte) para cantarla en tu tiempo libre: verás como eso te ayuda a recordar palabras y expresiones.

6

Deseos y planes

- Expresar deseos en determinadas situaciones sociales
- Expresar deseos sobre el futuro
- Expresar planes
- Secuenciar acciones futuras

1 a] Lee estos nombres de acontecimientos que se celebran en España y Latinoamérica. ¿Entiendes todo?

la Nochebuena

las navidades

las fiestas patronales

el carnaval

la boda

el día de la mujer trabajadora

la Nochevieja

el día de los trabajadores

el Año Nuevo

el cumpleaños

b] ¿Cuáles se celebran también en tu país? Dile al profesor las fechas. ¿Coinciden con las de España y Latinoamérica?

En mi país, el día de la mujer trabajadora se celebra el...

c] ¿Qué otros acontecimientos celebráis? ¿Cuáles son los más importantes?

2 ¿Con qué celebraciones de la actividad anterior relacionas estos deseos?

¡Que seáis muy felices!

¡Que pasen una buena luna de miel!

cumplir

¡Que cumplas muchos más!

¡Que te diviertas en las fiestas de tu pueblo!

¡Que el año que empieza sea mejor que el anterior!

¡Que todos vuestros planes se hagan realidad!

ser

hacer

3 ¿Te has dado cuenta de que en las frases de la actividad anterior aparece un tiempo verbal nuevo, el presente de subjuntivo? Léelas de nuevo e intenta completar este cuadro.

F Í JA TE

Presente de subjuntivo:

• **Verbos regulares:**

-AR	-ER	-IR
pasar	*comer*	*cumplir*
pase	coma	cumpla
pases	*comas*	*cumplas*
pase	coma	cumpla
pasemos	*comamos*	*cumplamos*
paséis	comáis	cumpláis
pasen	coman	cumplan

• **Verbos irregulares:**

• Fíjate en que hay irregularidades del presente de indicativo que se repiten en presente de subjuntivo:

e-> ie	o-> ue	
empezar	*poder*	*recordar*
empiece	pueda	*recuerde*
empieces	puedas	
empiece	pueda	
empecemos	podamos	
empecéis	podáis	
empiecen	puedan	

• Hay verbos que en presente de subjuntivo tienen la misma irregularidad que en la primera persona de singular del presente de indicativo, pero en todas las personas.

Presente de indicativo (yo)	Presente de subjuntivo
hago	haga, hagas, haga, hagamos, hagáis, hagan
salgo	salga, salgas...
pongo	*ponga pongas ponga pongamos pongáis*
tengo	*tenga*
vengo	*venga*
digo	*diga*
oigo	*oiga*
veo	*vea*
conozco	*conozca*

salir
tener
venir
decir
oir
ver
conocer

• Otros verbos son irregulares en todas las personas:

e->i	con y
pedir	*construir*
pida	construya
pidas	construyas
pida	construya
pidamos	construyamos
pidáis	construyáis
pidan	construyan

• Por último, observa que algunos verbos de uso muy frecuente tienen irregularidad propia en este tiempo.

Verbo	Presente de subjuntivo
ser	sea, seas... *sea seamos seáis sean*
estar	esté, estés...
ir	vaya, vayas...
haber	haya, hayas...
saber	sepa, sepas...
dar	dé, des...

4 a) Elige dos verbos que consideres útiles y difíciles en presente de subjuntivo, y repasa su conjugación (recuerda que el hecho de escribirla te puede ayudar a memorizarla).

b) En grupos de cuatro. Pregúntales a tus compañeros la conjugación de cada uno de ellos. Por cada acierto, ganan un punto. Gana el que consiga más puntos.

- *Ir, yo.*
- *Vaya.*
- *Nosotros.*
- *Vayamos.*

5 En grupos de tres. Por turnos, cada alumno elige un verbo y lo conjuga en la persona indicada, en presente de subjuntivo. Si lo hace correctamente, escribe su nombre en esa casilla. Gana el que obtenga tres casillas seguidas.

seguir (nosotras)	pensar (tú)	vivir (usted)	acordarse (ellos)
descansar (yo)	desaparecer (él)	tener (ustedes)	ser (vosotras)
elegir (yo)	comenzar (nosotros)	saber (nosotras)	dormir (usted)
construir (ellos)	encontrar (tú)	disfrutar (ella)	ayudar (ella)
comer (vosotros)	volver (yo)	venir (nosotras)	dar (ustedes)

6 **a)** ¿Qué deseos se pueden formular en estas situaciones? Relaciona cada deseo con una de ellas.

Farewell

1. Al despedirte de unos amigos colombianos. C
2. Al empezar a comer. A
3. Cuando alguien se va a la cama. D
4. Visitas a una amiga mexicana que está enferma. B
5. Le regalas una radio a tu madre. F
6. Un amigo tuyo tiene que hacer varias gestiones complicadas para conseguir algo importante. E

A. ¡Que aproveche!
B. ¡Que se mejore! *
C. ¡Que les vaya bien! *
D. ¡Que duermas bien! ¡Que descanses!
E. ¡Que todo salga bien!
F. ¡Que la disfrutes! —enjoy

1-C; 2- ; 3- ; 4- ; 5- ; 6- .

* formal 3rd p. used more in Latin America.

b) ¿Qué deseos formularías en estas situaciones? Escríbelos.

● A una amiga que se va de vacaciones.
● A un amigo que se va a hacer un curso intensivo de español a Costa Rica.
● A tu pareja, cuando os despedís por la mañana temprano para iros a trabajar.
● A un compañero de trabajo que se va a una fiesta.
● A un amigo que va a hacer un examen muy difícil.

7 **a)** Lee este fragmento incompleto de una canción de Joaquín Sabina y averigua el significado de **lo que no entiendas**.

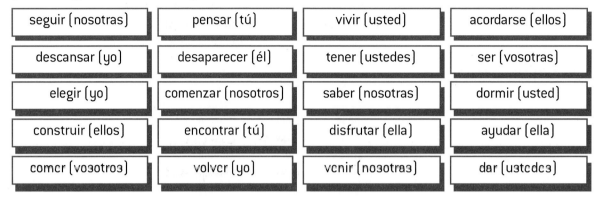

Noches de boda

Que las verdades no tengan complejos,
que las mentiras ...., mentiras
que no te den la razón los espejos,
que te aproveche mirar ....

Que no se ocupe de ti el desamparo,
que cada cena ....,
que ser valiente no salga tan caro,
que ser cobarde no valga la pena.

Que no te compren por menos de nada,
que no te vendan amor sin espinas,
que no te duerman con ....,
que no te cierren ....

Que el corazón no se pase de moda, go out of fashion
que los otoños te doren la piel,
que cada noche ....,
que no se ponga la luna de miel.
Que todas las noches.............,
que todas las lunas ....

JOAQUÍN SABINA

mirrors

autumns

cowardly

sesenta y seis

b] Ahora completa la canción con estas frases:

> ... sean noches de boda   ... parezcan mentiras
> ... el bar de la esquina   ... sea noche de boda
> ... sea tu última cena   ... cuentos de hadas *fairies*
> ... lo que miras   ... sean lunas de miel

c] Escucha y comprueba.

d] Comenta con tus compañeros:

● ¿Qué versos te han gustado más?   ● ¿Qué crees que quiere expresar Sabina en ellos?

e] Escucha de nuevo la canción y cántala. Trata de aprenderte los versos que más te gusten para que puedas practicar español cantándolos cuando quieras.

UN FUTURO MEJOR

8 a] Lee estos deseos sobre el futuro y averigua el significado de lo que no entiendas.

● Espero que no haya tanto paro.   *[hay]*
● ¡Ojalá no sigamos destruyendo bosques!   *OI hope that (wish that*
● ¡Ojalá no existan tantas diferencias entre países!
● ¡Qué ganas tengo de que se utilicen más energías alternativas!   *Tengo ganas de look forward to*
● Deseo que llegue un día en el que no haya guerras.
● ¡Ojalá llegue un día en el que la gente no tenga que emigrar para huir del hambre!   *escape*
● Yo quiero que cada vez haya que trabajar menos.

b] ¿Compartes tú todos esos deseos? Díselo a tus compañeros.

c] Ahora completa este cuadro con estructuras para expresar deseos.

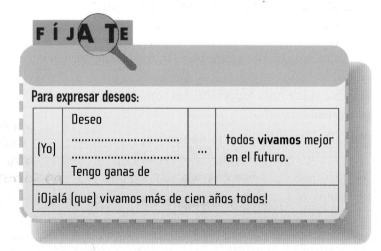

FÍJATE

Para expresar deseos:

	Deseo		
(Yo)	.... Tengo ganas de	...	todos **vivamos** mejor en el futuro.
¡Ojalá (que) vivamos más de cien años todos!			

9 a] Piensa en un futuro mejor y escribe un deseo sobre cada uno de estos temas.

· trabajo   · injusticias   · relaciones personales
· energía nuclear   · racismo   · cambios en el mundo

b] En grupos de cuatro. Comentad las frases que habéis escrito. ¿Cuál es el compañero con el que más coincides?

c] Corregid las frases entre los cuatro.

10 **a]** Vas a escuchar a dos amigos, Roberto y Susana, expresando deseos para un futuro mejor. Observa las ilustraciones y di cuáles crees que pueden ser los deseos de los que van a hablar.

b] Escucha la conversación. ¿Qué deseos expresa Susana y cuáles expresa Roberto?

SUSANA	ROBERTO

11 Vas a escribir un poema en el que vas a expresar deseos sobre tu país.

a] Decide lo siguiente:
- A qué temas te vas a referir (por ejemplo, el trabajo, aspectos sociales o políticos, relaciones personales, etc.).
- ¿Qué vas a escribir sobre cada tema? Puedes tomar nota de las ideas que se te ocurran.
- ¿Van a rimar algunos versos?

b] Escribe el poema. Puedes seguir este esquema:

> **Un país mejor**
>
> Deseo que ....   ¡Ojalá ....!
> Quiero que ....   Espero que ....
> Espero que ....   Quiero que ....
> ¡Ojalá ....!   Deseo que ....

c] Léeselo a un compañero y escucha el suyo. ¿Corregirías algo de su poema? Coméntalo con él.

d] Si fuera necesario, escribe de nuevo tu poema incluyendo los cambios acordados en c).

e] Colócalo en una pared del aula y lee los de tus compañeros. ¿Te gustan?

PLANES

12 Estos dibujos corresponden a un cuento muy conocido, pero están desordenados. Lee el texto y numéralos según el orden correcto.

LA LECHERA

Iba alegre la lechera a vender la leche al mercado. Por el camino iba haciendo planes:

"Cuando venda la leche, compraré unas gallinas que pondrán muchos huevos y de ellos nacerán pollitos. Criaré los pollos y, cuando sean grandes, los venderé. En cuanto venda los pollos, compraré unos cerdos. Los engordaré, los venderé y compraré unos terneros. Cuando sean grandes, los venderé, y con el dinero que gane me compraré una casa, ropa, joyas, ..."

Eso iba pensando la lechera, que caminaba cada vez más deprisa para llegar pronto al mercado. Pero, de repente, tropezó con una piedra, se cayó al suelo, se rompió el cántaro... y sus planes no pudieron hacerse realidad.

Orden: 3, ...

13 a) Lee estas frases y anota los tiempos verbales que se utilizan en cada una.

Cuando venda la leche, compraré unas gallinas.
En cuanto venda los pollos, compraré unos cerdos.
Estaré en el mercado hasta que compre las gallinas.

b) Ahora observa estas dos frases y piensa por qué se usa el infinitivo en una de ellas.

Me **compraré** una casa **después de que** me **paguen** los terneros.
Me **compraré** ropa y joyas **después de vender** los terneros.

c) Coméntalo con un compañero y comprobad los resultados con el profesor.

14 a] Lee este chiste incompleto de un antiguo estudiante de Económicas que naufragó en una isla desierta con un amigo.

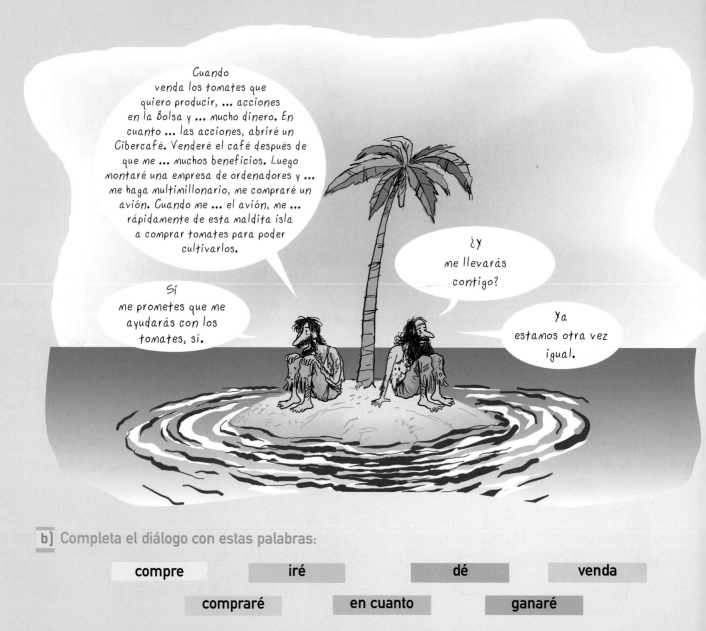

Cuando venda los tomates que quiero producir, ... acciones en la Bolsa y ... mucho dinero. En cuanto ... las acciones, abriré un Cibercafé. Venderé el café después de que me ... muchos beneficios. Luego montaré una empresa de ordenadores y ... me haga multimillonario, me compraré un avión. Cuando me ... el avión, me ... rápidamente de esta maldita isla a comprar tomates para poder cultivarlos.

¿Y me llevarás contigo?

Si me prometes que me ayudarás con los tomates, sí.

Ya estamos otra vez igual.

b] Completa el diálogo con estas palabras:

compre   iré   dé   venda

compraré   en cuanto   ganaré

15 ¿Tienes buena memoria?

a] Escribe el mayor número posible de frases expresando los planes del estudiante de la actividad anterior.

Cuando venda los tomates, comprará acciones en la Bolsa.
En cuanto...

b] Intercambia tus frases con las de un compañero y corrige las suyas. Luego coméntale los posibles errores. ¿Quién ha escrito más frases correctas?

16 a) Vas a escuchar a dos estudiantes españoles, Amaya y Jorge, comentando sus planes para cuando acaben los exámenes. Observa las ilustraciones y comenta con un compañero en qué orden crees que van a hacer esas actividades.

 b) Escucha la conversación y ordena las ilustraciones.

17 a) Piensa en los planes que crees que tiene tu compañero para cuando acabe el curso. Puedes tomar nota de ellos.

Cuando acabe el curso...

b) Díselos a tu compañero para averiguar si son, efectivamente, sus planes. ¿Tienes más aciertos que él?

RECUERDA

Comunicación

Expresar deseos sobre el futuro
- Espero que en el futuro haya menos pobres en el mundo.
- ¡Ojalá dejen de producir energía nuclear!

Gramática

Presente de subjuntivo
(Ver resumen gramatical, apartado 1.4)

Desear / Querer / Esperar / Tener ganas de + que + presente de subjuntivo
(Ver resumen gramatical, apartado 15.1)

Ojalá + presente de subjuntivo
(Ver resumen gramatical, apartado 15.1)

Comunicación

Expresar deseos en determinadas situaciones sociales
- ¡Que aproveche!
- ¡Que cumplas muchos años!
- ¡Que le vaya bien!

Gramática

Que + presente de subjuntivo
(Ver resumen gramatical, apartado 15.2)

Comunicación

Expresar planes. Secuenciar actividades futuras
- Cuando termine el curso, empezaré a buscar trabajo.
- En cuanto encuentre trabajo, me compraré un coche.
- Seguiré estudiando aquí hasta que me vaya a Colombia.

Gramática

Cuando / En cuanto + presente de subjuntivo, futuro simple

Futuro simple + hasta que / después de que + presente de subjuntivo

(Ver resumen gramatical, apartado 16)

LA FIESTA DEL SOL

1 ¿Conoces alguna fiesta que se celebre solo en algún país hispano? ¿Puedes explicarles a tus compañeros en qué consiste?

2 a] Lee este texto y pregúntale al profesor lo que no entiendas.

EL INTI RAYMI

El *Inti Raymi* o la fiesta del Sol era la fiesta más importante que celebraban los incas. Para muchos autores, es la principal ceremonia prehispánica en homenaje al Sol.

Según los cronistas, los incas creían que el dios Sol se apagaría algún día y que desaparecería la luz y toda la vida que había en la Tierra. Por esa razón, en cada solsticio de invierno, cuando el Sol estaba más alejado del ecuador, realizaban una serie de actos durante tres días para adorarlo y pedirle que no desapareciera.

Actualmente, el 24 de junio se sigue celebrando esta fiesta en la impresionante fortaleza de Sacsayhuamán, a dos kilómetros de Cuzco. Un actor representa al Inca (el emperador), que es llevado desde el *Koricancha* o Templo del Sol hasta el *Huacaypata* (la plaza mayor). Allí pide a las autoridades actuales que gobiernen bien. A continuación, va a Sacsayhuamán, donde lo esperan más de quinientos actores, representantes de las cuatro provincias del antiguo imperio, quienes escenifican los ritos tradicionales en un extraordinario espectáculo de teatro y danza. Al atardecer, cuando se pone el Sol, el Inca da por terminada la ceremonia y, en ese momento, empieza la jarana* entre las decenas de miles de personas, tanto nacionales como extranjeras, que han asistido a los actos: comienzan a sonar las quenas (flautas andinas), las guitarras, los tambores…, y el baile, la alegría y la diversión ocuparán el resto del día.

*Jarana = fiesta, diversión.

Latina

b) Escribe cuatro preguntas sobre informaciones importantes del texto.

c) Házselas a tu compañero para comprobar si ha entendido el texto.

3 Comenta con tus compañeros las respuestas a estas preguntas:

- ¿Te gustaría asistir a esa fiesta?
- ¿Qué es lo que más te atrae o te llama la atención de ella?
- ¿Te hace pensar en alguna otra fiesta? ¿En cuál? ¿Por qué?

Vida sana

OBJETIVOS

- Describir problemas
- Pedir y dar consejos
- Ponerse en el lugar del otro
- Reaccionar ante un consejo

1 **a]** Lee estos chistes incompletos de Forges y El Perich y averigua qué significan las palabras que no comprendas.

b] Complétalos con estas frases.

A. Bueno; pero solo dos a la semana.

B. Te estoy diciendo que fumar es malísimo

C. Creo que he conseguido la enfermedad perfecta:

D. ¡Sí, un cero en gimnasia!

c] ¿En cuál de esos chistes una persona...

... está contenta porque se ha lesionado?
... se alegra porque el médico le permite hacer algo?
... no le presta atención a otra?
... piensa que la otra persona no está en condiciones de criticarla?

2 **a)** Lee estos consejos y pregúntale al profesor qué significan las palabras que no entiendas. ¿Con cuáles de ellos relacionas los chistes de la actividad 1?

CONSEJOS PARA VIVIR MUCHOS AÑOS

1. Aliméntese bien. Consuma una dieta sana y asegúrese de que los alimentos que toma no contienen sustancias perjudiciales para la salud.
2. No abuse del alcohol ni de las medicinas. Evite el tabaco.
3. Duerma las horas que necesite.
4. Haga ejercicio físico regularmente.
5. Controle su peso.
6. Hágase revisiones médicas de forma periódica.
7. Descanse y relájese lo suficiente. Reserve un rato cada día para descansar y relajarse.
8. Evite las tensiones y el estrés.
9. Aproveche su tiempo libre para hacer cosas que realmente le gustan.
10. Cuide sus relaciones personales. Relaciónese con sus amigos y con la gente que le cae bien.

Fuente: *El Tiempo de Bogotá*

El chiste número 1 lo relaciono con el consejo número...

b) ¿Cuáles de los consejos que has leído sigues tú? Díselo a tu compañero.

● *Yo creo que me alimento (bastante bien porque tomo mucha fruta y verdura, y)...*
● *Pues yo (no. Yo tomo demasiados dulces y)...*

3 **a)** En la actividad anterior se ha utilizado el imperativo para dar consejos. Lee la lista de nuevo y responde a estas preguntas:

● *¿En qué persona gramatical se han dado los consejos?*
● *¿Con las formas de qué otro tiempo verbal coinciden las formas empleadas?*

b) ¿Recuerdas las formas del imperativo afirmativo correspondientes a "tú" y a "vosotros-as"? Piensa en las correspondientes a algunos verbos regulares y a otros irregulares, y anótalas. Luego pregúntaselas a tu compañero.

● *Poner (tú).*
● *Pon.*

FÍJATE

Para dar consejos (1):

Imperativo afirmativo
Haga (usted) ejercicio físico.
• Las formas del imperativo afirmativo son las mismas que las del presente de subjuntivo, excepto para "tú" y "vosotros-as".
Espero que (usted) haga ejercicio físico.

Imperativo negativo
No abuse (usted) del alcohol.
No abuses (tú) del alcohol.
• Todas las formas del imperativo negativo coinciden con las del presente de subjuntivo.
Espero que (usted) no abuse del alcohol.   Espero que (tú) no abuses del alcohol.

Vuelve.
No vuelvas.

4 Mira este dibujo y juega con tus compañeros.

5 Escribe los consejos de la actividad 2 con formas del imperativo correspondientes a "tú".
1. Aliméntate bien...

6 a) Lee este cómic incompleto y anota las palabras nuevas que encuentres.

b) Averigua si tu compañero conoce alguna de las palabras que has anotado y pídele que te las explique. Luego fijaos en el contexto para tratar de deducir el significado de las demás palabras. Comprobadlo con el profesor.

c) ¿Con qué adjetivos puedes describir el carácter de la abuela?

d) En parejas. Decidid cuál puede ser el final del cómic y escribid el texto de la última viñeta. Luego comprobad si se parece al original (os lo dará el profesor).

7 a] ¿Qué cosas malas para la salud se mencionan en el cómic? ¿Y buenas? Anótalas en la columna corespondiente.

cosas malas	cosas buenas
los colorantes	

b] Anota también otras ideas que aparecen en los chistes de la actividad 1. ¿Puedes añadir otras?

c] Relaciona algunas de las cosas que has anotado con las palabras del recuadro y explica por qué son malas o buenas para la salud.

cáncer
colesterol
relajar(se)
mantener(se) en forma

Fumar es malo para la salud porque produce cáncer.

8 a] Observa cómo se utiliza el pronombre *se* en estas dos frases y responde a las preguntas.

Aliméntese bien; tome alimentos sanos.

No se alimente mal; no tome comida rápida.

● ¿En qué caso el pronombre va detrás del imperativo, formando una sola palabra con él?
● ¿En qué caso se coloca delante del imperativo?

b] Escribe algunos consejos originales y divertidos para tener una vida sana y alegre.

Manténgase en forma bailando rumbas.

c] En grupos de tres. Comparad lo que habéis escrito y corregid los posibles errores. Luego elegid los consejos que os parezcan mejores y copiadlos en un cartel.

d] Colocadlo en una pared del aula y leed los de los otros grupos. ¿Os gustan?

Consejos
para una vida sana y alegre
Ríase todas las mañanas 10 minutos.
Haga yoga si se encuentra en un atasco.

PROBLEMAS. CONSEJOS PARA SOLUCIONARLOS

9 **a]** Escucha y lee este diálogo.

- Últimamente duermo mal, no tengo ganas de comer y estoy muy cansado.
- Pues ve al médico, a ver qué te dice.
- Si ya fui. Me dijo que era cansancio, me recetó unas pastillas, pero sigo igual y no sé qué hacer. ¿Qué haríais vosotras en mi lugar?
- Yo trabajaría menos o me tomaría unos días de vacaciones.
- Es que no puedo; ahora tenemos muchísimo trabajo en la oficina.
- Pues haz deporte, ve a nadar, trata de relajarte...
- Si ya lo hago, pero me siento igual.
- Yo, en tu lugar, saldría más, quedaría más con los amigos, haría cosas que me gustan.
- ¡Ah! Pues, mira, me parece una buena idea.
- ... Y creo que deberías darles menos importancia a los problemas del trabajo.
- Sí, quizá les doy demasiada...

b] Responde a las preguntas.

- ¿Qué problema(s) tiene una de esas personas?
- ¿Qué cosas ha hecho para solucionarlo(s)?
- ¿Qué va a hacer?

c] Escucha de nuevo y presta especial atención a la entonación.

d] Practica el diálogo con dos compañeros.

10 **a]** En la actividad anterior, para dar consejos se ha utilizado el imperativo y un tiempo verbal nuevo, el condicional simple. Fíjate en su forma; ¿te recuerda a la de algún tiempo que ya conoces?

b] Completa este esquema:

FíJATE

Para dar consejos (2):

Condicional simple

• Verbos regulares

		-ía
		-ías
trabajar	trabajar-	-ía
....	comer-	-íamos
....	dormir-	-íais
		-ían

• Verbos irregulares

Los mismos que son irregulares en el futuro simple, y tienen la misma irregularidad que en ese tiempo.

....	tendr-	
poder	.........-	
....	pondr-	-ía
haber	.........-	-ías
....	sabr-	-ía
salir	.........-	-íamos
....	vendr-	-íais
hacer	.........-	-ían
....	dir-	
querer	.........-	

11 **a]** ¿Qué problemas crees que tienen los personajes de estas ilustraciones? Coméntalo con un compañero.

b] Escucha y empareja cada conversación con la ilustración correspondiente.

c] ¿Qué haríais vosotros en esas mismas situaciones? Comentadlo con la clase.

d] Vuelve a escuchar y anota los consejos que reciben los personajes. ¿Coinciden con algunos de los que habías pensado?

12 **a]** ¿Con qué problemas relacionas cada uno de estos consejos?

> Yo, en tu lugar, dejaría de comer dulces y tomaría menos grasas.

> Yo que tú, dejaría de tomar café.

b] Compara tus resultados con los de tu compañero. ¿Habéis pensado en los mismos problemas?

c] Imagínate que tienes uno de esos problemas; cuéntaselo a tu compañero y pídele otros consejos.

... y no sé qué hacer. ¿Qué harías tú en mi lugar?

13 En grupos de cuatro. Por turnos, el profesor os muestra a tres de vosotros una tarjeta donde se describe el problema que tiene vuestro compañero. Vosotros le dais consejos a este ¡sin mencionar el problema!, hasta que lo adivine. Luego continuáis con el problema de otro compañero.

14 En la vida se pueden dar y recibir consejos para hacer y conseguir muchas cosas. En este fragmento de la canción que vas a escuchar, Joaquín Sabina nos da unos consejos para vivir cien años.

a] Escucha la canción y lee la letra. Luego pregúntale al profesor qué significa lo que no entiendas.

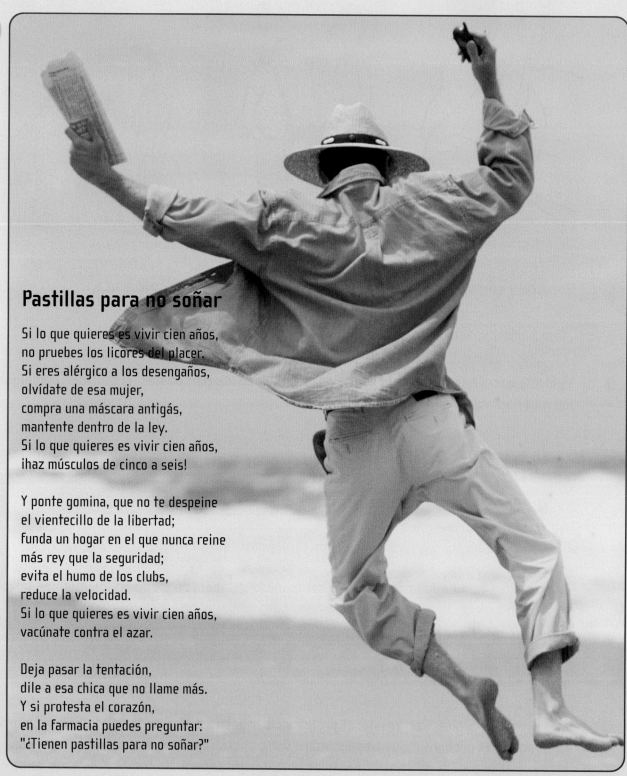

Pastillas para no soñar

Si lo que quieres es vivir cien años,
no pruebes los licores del placer.
Si eres alérgico a los desengaños,
olvídate de esa mujer,
compra una máscara antigás,
mantente dentro de la ley.
Si lo que quieres es vivir cien años,
¡haz músculos de cinco a seis!

Y ponte gomina, que no te despeine
el vientecillo de la libertad;
funda un hogar en el que nunca reine
más rey que la seguridad;
evita el humo de los clubs,
reduce la velocidad.
Si lo que quieres es vivir cien años,
vacúnate contra el azar.

Deja pasar la tentación,
dile a esa chica que no llame más.
Y si protesta el corazón,
en la farmacia puedes preguntar:
"¿Tienen pastillas para no soñar?"

b] Subraya las formas verbales en imperativo que aparecen en la canción.

c] Ahora vas a cambiar el sentido de la canción. Para ello sustituye los consejos afirmativos por consejos negativos, y al contrario.

> Olvídate de esa mujer ➠ No te olvides de esa mujer.
> No pruebes los licores del placer ➠ Prueba los licores del placer.

Haz, también, todos los cambios que necesites en la letra de la canción.

d] ¿Con cuál de las dos canciones crees que se puede vivir más años? ¿Y con cuál se puede vivir mejor? Coméntalo con tus compañeros.

e] Es posible que no estés de acuerdo con todo lo que dicen las dos canciones, por eso ahora vas a tener la oportunidad de componer tu propia "canción" con los versos de los apartados a) y c) que consideres apropiados para vivir cien años.

f] Por último, compárala con la de un compañero y comprueba si coinciden muchos consejos. Luego podéis cantarlas.

RECUERDA

Comunicación

Describir problemas
- Últimamente estoy muy nerviosa, duermo mal y no tengo ganas de comer.

Dar consejos
- Haga ejercicio.
- No fume.
- Manténgase en forma.
- No se alimente mal.

Gramática

Imperativo afirmativo
Imperativo negativo
(Ver resumen gramatical, apartados 1.5.1, 1.5.2 y 17.2.1)

Imperativo afirmativo + pronombres personales
Imperativo negativo + pronombres personales
(Ver resumen gramatical, apartados 1.5.1.1 y 1.5.2.1)

Comunicación

Pedir consejo
- No sé qué hacer. ¿Qué harías tú en mi lugar?

Gramática

Condicional simple
(Ver resumen gramatical, apartados 1.6 y 17.1)

Comunicación

Ponerse en el lugar del otro
- Yo, en tu lugar, dejaría de fumar y seguiría haciendo deporte.

Gramática

Yo, en tu lugar, + condicional simple
(Ver resumen gramatical, apartado 17.2.2)

Dejar de + infinitivo
Seguir
Continuar + gerundio

Comunicación

Reaccionar ante un consejo
- Si ya lo hago, pero sigo igual y no sé qué hacer.
- ¡Ah! Pues, mira, me parece una buena idea.

Gramática

Reaccionar ante un consejo
(Ver resumen gramatical, apartado 17.3)

Descubre España y América

1 **a)** Comenta con la clase las respuestas a estas preguntas:

- ¿Qué sabes sobre la siesta?
- ¿Crees que la duerme la mayoría de los españoles?
- ¿Piensas que las ciudades españolas son muy ruidosas?

b) Lee y comprueba.

HÁBITOS DE DESCANSO

En un estudio sociológico realizado en España sobre los hábitos de descanso de sus habitantes se destacan los siguientes hechos:

Casi uno de cada cuatro españoles duerme la siesta cada día. Valencia es la comunidad autónoma donde más personas tienen esa costumbre. Sin embargo, los valencianos son los que duermen las siestas más cortas en días laborables. Además, son los primeros en acostarse y los que más roncan (el 38 % de los españoles confiesa que ronca).

Un 85 % de la población duerme de 5 a 8 horas entre semana. En un día festivo, hay un 45 % de españoles que descansa 9, 10 e, incluso, 11 horas. En días laborables, el 66,3 % de los españoles se acuesta entre las 23 y las 24 horas. Los fines de semana, más de la mitad de la población se acuesta después de la una.

La calidad de sueño de los españoles es buena. Los hombres duermen mejor que las mujeres.

Un 33 % de los ciudadanos lee en la cama, un 29% ve la televisión y un 13,5 % fuma justo antes de dormir.

Aunque se dice que las ciudades españolas son ruidosas y que los niveles de contaminación auditiva son elevados en muchas de ellas, parece que a sus habitantes no les afecta o tienen un nivel de tolerancia muy alto: solo un 22 % de los encuestados menciona la existencia de ruidos durante la noche. Los que más dificultan el sueño son los producidos por el tráfico (38 %) y los vecinos (26 %).

En cuanto al dormitorio y la cama como factores que pueden afectar al descanso, el estudio indica que a un 72 % de la población le preocupa más la calidad del resto de la casa que la del dormitorio. Un 81 % gasta más en otro tipo de muebles que en la cama, y un 57 % la renueva con menos frecuencia que el resto de los muebles de la casa.

Fuente: *Nuevo Estilo*

Latina

c] ¿Verdadero o falso? Mira el texto y señálalo.

	v	f
1. Andalucía es la comunidad autónoma en la que más se duerme la siesta.		
2. La mitad de los españoles ronca por la noche.		
3. Los fines de semana, los españoles se van a la cama más tarde y duermen más.		
4. Entre semana, la mayor parte de la gente se acuesta de 11 a 12 de la noche.		
5. Por lo general, los hombres tienen menos problemas con el sueño que las mujeres.		
6. Los ruidos no permiten dormir bien a una tercera parte de la población.		
7. Para los españoles, el dormitorio no es la habitación más importante de la casa.		

d] Comenta con la clase las respuestas a estas preguntas.

- ¿Sueles hacer tú también alguna de las cosas que se mencionan en el texto? ¿Cuáles?

- ¿Consideras que los hábitos de descanso existentes en tu país son muy distintos a los de España? ¿En qué se diferencian?

8

Citas y frases famosas

OBJETIVOS

- Transmitir lo dicho por otros
- Pedir que se transmita un mensaje
- Transmitir informaciones
- Transmitir peticiones

1 **a)** Lee estas citas y frases famosas y asegúrate de que las entiendes.

1. Antonio Machado (1875-1939), escritor español: "En mi soledad he visto cosas muy claras que no son verdad."

2. Jorge Luis Borges (1899-1986), escritor argentino: "No sé si la instrucción puede salvarnos, pero no sé de nada mejor."

4. Gabriel García Márquez (1928), escritor colombiano: "El amor es tan importante como la comida. Pero no alimenta."

3. María Zambrano (1904-1991), escritora española: "Yo nunca me he quedado sin patria. Mi patria es el idioma."

5. Salvador Dalí (1904-1989), pintor español: "Si muero, no moriré del todo."

6. Louis Lumière (1864-1948), inventor francés del cinematógrafo: "Mi invento podrá ser disfrutado como curiosidad científica... Pero comercialmente no tiene el más mínimo interés."

7. Groucho Marx (1895-1977), humorista estadounidense: "Encuentro la televisión muy educativa. Cada vez que alguien la enciende, me retiro a otra habitación y leo un libro."

b) Busca en ellas sinónimos de:

- educación
- totalmente
- conozco

c) Comenta con la clase:

- ¿Cuál de ellas te ha sorprendido más?
- ¿Con cuál estás más de acuerdo?
- ¿Cuál te gusta más?

2 **a]** Responde a las preguntas.

¿Quién dijo que...

... encontraba la televisión muy educativa porque, cada vez que alguien la encendía, él se retiraba a otra habitación y leía un libro?

... en su soledad había visto cosas muy claras que no eran verdad?

... si moría, no moriría del todo?

b] Compara las frases del apartado anterior con las de la actividad 1 y fíjate en los cambios de tiempos verbales producidos. ¿Por qué crees que se han hecho?

3 Cuando transmitimos lo que dijeron otras personas pueden producirse algunos cambios.

Estilo directo	Estilo indirecto
María Zambrano (1904-1991): "Mi patria es el idioma."	(Ella) Dijo que **su** patria **era** el idioma.

F Í J A T E

Para transmitir lo dicho por otros:

• Fíjate en las transformaciones que se han realizado en las frases de la actividad 2a) y completa este cuadro con los nombres de los tiempos verbales que faltan.

Estilo directo	Estilo indirecto (Dijo que...) (Preguntó si... / quién... / qué...)
presente	*imperfecto*
perfecto	*pluscuamperfecto* o indefinido
indefinido	pluscuamperfecto o indefinido
imperfecto	imperfecto
pluscuamperfecto	pluscuamperfecto
futuro	futuro o *condicional*

• Ahora piensa en los cambios de las circunstancias temporales, espaciales, etc. y relaciona las palabras de las dos columnas.

Estilo directo	Estilo indirecto
yo	allí
hoy	aquel/aquella
aquí	su
este/a	él/ella
nosotros/as	ayer/aquel día
mi	ellos/ellas

4 **a]** Escribe lo que dijeron Borges, García Márquez y Louis Lumière.

Borges dijo que..., pero que...

b] ¿Tiene buena memoria tu compañero? Comprueba si recuerda qué dijeron algunos de los personajes de la actividad 1 (asegúrate de que no lo lee).

● ¿Qué dijo (Groucho Marx)?
● (Dijo) Que...

5 Empareja las dos partes de estas citas de diferentes personajes hispanos.

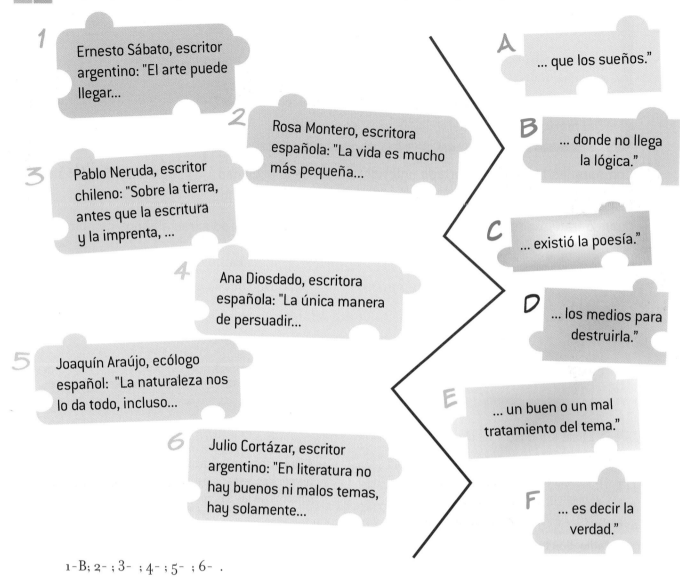

1 Ernesto Sábato, escritor argentino: "El arte puede llegar...

2 Rosa Montero, escritora española: "La vida es mucho más pequeña...

3 Pablo Neruda, escritor chileno: "Sobre la tierra, antes que la escritura y la imprenta, ...

4 Ana Diosdado, escritora española: "La única manera de persuadir...

5 Joaquín Araújo, ecólogo español: "La naturaleza nos lo da todo, incluso...

6 Julio Cortázar, escritor argentino: "En literatura no hay buenos ni malos temas, hay solamente...

A ... que los sueños."

B ... donde no llega la lógica."

C ... existió la poesía."

D ... los medios para destruirla."

E ... un buen o un mal tratamiento del tema."

F ... es decir la verdad."

1-B; 2- ; 3- ; 4- ; 5- ; 6- .

6 **a)** Observa cómo podemos contar lo que dijo una persona.

Ana Diosdado dijo que la única manera de persuadir **es** decir la verdad.

Ana Diosdado dijo que la única manera de persuadir **era** decir la verdad.

b) Responde a las preguntas.

● ¿En qué frase relacionamos con el presente (o aplicamos al presente) lo que dijo esa persona? ¿Se ha producido alguna transformación verbal?

● ¿En qué frase queremos resaltar que son palabras de otra persona? ¿Cómo lo hemos hecho?

7 a) Elige tres citas de la actividad 5 y pásalas a estilo indirecto, pero cambia o añade alguna información divertida u original en alguna de ellas.

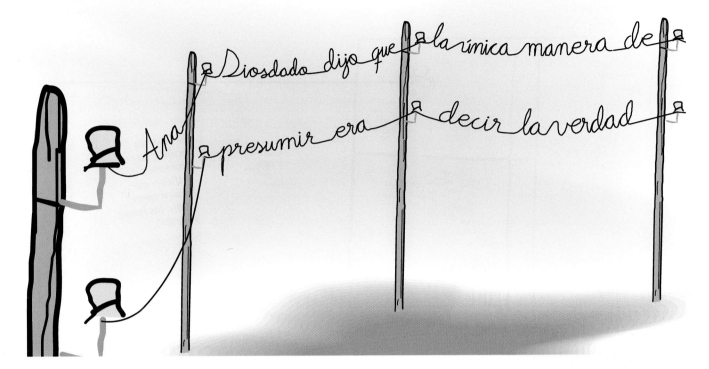

Ana Diosdado dijo que la única manera de presumir era decir la verdad

b) Cierra el libro e intercambia las frases con un compañero para que las corrija y encuentre las informaciones que has cambiado o añadido.

- *Ana Diosdado dijo que la única manera de persuadir era decir la verdad, no que la única manera de presumir era decir la verdad.*
- *Sí, es verdad, la única manera de persuadir.*

c) Decidle a la clase qué es lo más divertido u original que habéis descubierto.

8 a) Piensa en tu cita o tu frase famosa favorita y tradúcela al español. (Si no tienes una, puedes seleccionar una de esta lección que te haya gustado.)

b) Dísela en estilo indirecto a tu compañero para que la escriba en estilo directo. Luego comprueba cómo lo ha hecho.

c) Escribid la cita o frase del compañero en un cartel y colocadlo en una pared del aula para que podáis leer en español cosas que os gustan.

CITAS FAMOSAS

Pablo Neruda : "..."

MENSAJES TELEFÓNICOS

9 a] Escucha estas conversaciones telefónicas y escribe el número correspondiente en cada mensaje.

b] ¿En cuáles de esos mensajes se transmiten peticiones? Anota las frases en las que se transmite alguna.

Transmitir peticiones

Ha dicho que le llame usted cuando pueda.

c] Escucha de nuevo las conversaciones y anota las frases que utilizan para pedir que se transmitan esas peticiones.

¿Sería tan amable de decirle que llame a Jesús cuando pueda?

d] ¿Qué tienen en común todas las frases que has escrito en b) y en c)?

10 **a)** Escucha tres conversaciones telefónicas breves y completa el cuadro:

	1	2	3
¿Quién llama?			
¿Con quién quiere hablar?			
¿Cuál es el mensaje?			

b) Imagina que eres la persona que coge los mensajes. Escribe una nota para cada uno.

HA LLAMADO
EL SR. PULIDO.
QUIERE QUE...

HA LLAMADO...

11 **a)** En grupos de tres (A, B y C).

Estudiante A
Llama a casa de un compañero (B) y pídele un gran favor, aunque sea algo que no le guste.

Estudiante B
Has estado casi todo el día fuera de casa. Pregunta a tu compañero de piso (C) si hay algún mensaje para ti.

Estudiante C
Tu compañero de piso (B) va a estar fuera casi todo el día. Si le llaman, toma nota de los recados para dejarle un mensaje.

b) Cambiad de papeles para que cada alumno pueda llamar a un compañero y dejarle un mensaje.

c) Entregad los mensajes a sus destinatarios. Luego decidid entre todos cuál de ellos es el que os gusta menos.

ESTRATEGIAS DE APRENDIZAJE

12 **a)** Lee el cuestionario y marca las respuestas que te parezcan más adecuadas a tu caso.

¿Qué tipo de estudiante de español eres?

1. Si vas por la calle y una persona te pregunta si hablas español, ¿qué haces?

   A. Le respondo afirmativamente y le ofrezco mi ayuda si la necesita.
   B. Le digo: "Sí, un poco".
   C. Le digo que no.
   D. No le presto atención y sigo caminando.

2. ¿Qué haces cuando el profesor/a os pide que trabajéis en grupos?

   A. Comparto el trabajo y hago más o menos lo mismo que mis compañeros.
   B. Hago bastante más que mis compañeros.
   C. Hago menos que mis compañeros.
   D. No participo nada o casi nada.

3. Cuando trabajo en parejas o grupos...

   A. Siempre hablo español con mis compañeros.
   B. Intento hablar español.
   C. Solo utilizo el español cuando el profesor/a me ve o me escucha.
   D. No hablo nunca español.

4. Si estás leyendo un texto y aparece una palabra que no conoces, ¿qué haces?

   A. Intento adivinar su significado por el contexto.
   B. La busco directamente en el diccionario.
   C. No le doy importancia y sigo leyendo.
   D. Empiezo a pensar que ese texto quizá es demasiado difícil para mí.

5. Cuando hablo español...

   A. Procuro imitar la forma de hablar de los nativos.
   B. A veces me siento extraño/a, como si fuera otra persona. Tengo la sensación de que estoy actuando.
   C. Me esfuerzo algo en la pronunciación, pero creo que no lo suficiente como para que la gente me entienda.
   D. Me pongo nervioso y lo paso mal porque sé que no hablo bien.

6. ¿Cuál es tu actitud ante los errores que cometes?

   A. Aprendo de mis errores e intento no repetirlos.
   B. No me importa cometer errores: me parece algo lógico cuando se aprende un idioma.
   C. Me molesta mucho cometer errores, pero no puedo evitarlo.
   D. Si creo que voy a cometer errores, prefiero no hablar.

7. ¿Qué haces cuando hablas con un nativo y oyes una palabra que no conoces?

   A. No interrumpo la conversación, pero memorizo esa palabra para buscarla después en un diccionario.
   B. Le pido a esa persona que me explique lo que significa.
   C. Pienso durante unos segundos en lo que puede significar.
   D. Finjo que lo entiendo todo.

8. Cuando quiero decir algo y no encuentro la palabra que necesito...

   A. Utilizo otras palabras, hago gestos, doy explicaciones, etc., hasta que consigo expresar lo que deseo.
   B. Le pregunto a la persona con la que hablo cómo puedo decir lo que quiero expresar.
   C. Me doy cuenta de mis dificultades y hablo de otra cosa.
   D. No digo nada.

9. Cuando hablo español...

   A. Trato de utilizar palabras que he aprendido recientemente, para no olvidarlas.
   B. Uso palabras fáciles, incluso muy fáciles. Eso me hace sentirme cómodo/a y me da seguridad.
   C. No selecciono mucho las palabras que utilizo. Si no me entienden, intento usar otras.
   D. Necesito entender absolutamente todas las palabras que utilizan las personas con las que hablo. Si no entiendo alguna, me pierdo o me bloqueo.

10. ¿Con cuál de estas frases te identificas más?

    A. Hago siempre los deberes y estudio mucho por mi cuenta.
    B. Suelo hacer los deberes y a veces estudio por mi cuenta.
    C. Solo estudio por mi cuenta cuando tengo algún examen.
    D. No estudio nunca por mi cuenta ni hago los deberes.

11. Fuera de clase...

    A. Utilizo el español siempre que puedo.
    B. Cuando me hablan en español, continúo la conversación en español.
    C. Cuando me hablan en español, respondo en mi lengua si la otra persona la conoce.
    D. No utilizo nunca el español. Solo lo estudio y lo hablo en clase.

12. Fuera de clase, en mi tiempo libre, leo prensa, veo algún programa de televisión o alguna película de cine, escucho canciones o alguna emisora de radio, en español...

    A. Siempre que tengo la oportunidad.
    B. Con cierta frecuencia, pero no siempre que tengo la oportunidad.
    C. Muy pocas veces.
    D. Nunca.

13. En mis estudios de español...

    A. Utilizo un diccionario monolingüe (español–español) y otro bilingüe (español–mi lengua).
    B. Utilizo un diccionario monolingüe.
    C. Utilizo un diccionario bilingüe.
    D. No utilizo ningún diccionario.

14. ¿Cuál es tu actitud ante la cultura española y las diferentes culturas latinoamericanas?

    A. Me interesan mucho.
    B. Me interesan bastante.
    C. No me interesan mucho.
    D. No me interesan nada; solo quiero aprender la lengua.

15. ¿A quién consideras responsable de tu aprendizaje?

    A. A mi profesor/a y a mí mismo/a.
    B. Sobre todo a mí.
    C. Sobre todo a mi profesor/a.
    D. Yo no soy nada responsable, porque no soy un profesional de la enseñanza.

b] Averigua tu resultado; mira la tabla, suma los puntos y lee la interpretación.

PUNTUACIÓN:

Respuestas A = 3 puntos
Respuestas B = 2 puntos
Respuestas C = 1 punto
Respuestas D = 0 puntos

INTERPRETACIÓN:

0-15 puntos

Posiblemente consideras que el español se te da mal y te cuesta utilizarlo. Quizá exageras y te parece más difícil de lo que es en realidad: no olvides que cada estudiante tiene su propio ritmo y su propio estilo de aprendizaje. Pensar en ello puede ayudarte a recuperar la confianza en ti mismo/a.
Si te esfuerzas y participas más en clase podrás encontrar más satisfacciones en ella y terminará gustándote más. Además, sentirás que progresas a la vez que aumentarán tu nivel de seguridad en ti mismo/a y tu interés por la lengua.
Procura utilizar más el español, tanto en clase como fuera de ella, colabora con tus compañeros y no dudes en pedir ayuda a ellos o a tu profesor/a siempre que la necesites.

16-30 puntos

Te gusta comunicarte con la gente y no te da miedo aprender y practicar una lengua extranjera. Habitualmente estás motivado/a, pero no te desanimes si a veces sientes que no haces tantos progresos como desearías. Tu actitud es positiva, aunque puede mejorar: conseguirás mejores resultados si tienes un poco más de confianza en ti mismo/a, si eres constante y si estudias y practicas más.

31-45 puntos

Te gusta el español y disfrutas practicándolo. Confías en tus capacidades, y te sientes seguro/a de ti mismo/a y responsable de tu aprendizaje. Aprovechas las oportunidades de aprender y utilizas estrategias que te ayudan a alcanzar tus objetivos. Trata de enseñárselas a tus compañeros/as y de ayudarles cuando estén en dificultades.

c] Piensa en las respuestas a estas preguntas y coméntalas con tus compañeros.

● ¿Estás de acuerdo con la interpretación que te corresponde?
● ¿Le añadirías algo?
● ¿Qué crees que deberías hacer para aprender más español?

RECUERDA

Comunicación
Transmitir lo dicho por otros
● Salvador Dalí dijo que si moría, no moriría del todo.
● María Zambrano dijo que su patria era el idioma.

Gramática
Cambios de palabras en estilo indirecto: referencias temporales, referencias espaciales, posesivos, etc.
(Ver resumen gramatical, apartado 18.1)
Transformaciones verbales
(Ver resumen gramatical, apartado 18.2)

Comunicación
Pedir que se transmita un mensaje
● ¿Sería tan amable de decirle (a Julia) que ha llamado su hermano y que llamará más tarde?
● Dile, por favor, que le ha llamado su mujer para decirle que ya ha llegado a casa.

Gramática
¿Puede(s) / ¿Sería(s) tan amable de decirle que + información / petición
Dile / Dígale, por favor, que + información / petición
(Ver resumen gramatical, apartado 19.1)

Comunicación
Transmitir informaciones
● Ha llamado Marta y ha dicho que quiere cambiar de trabajo porque...
● Te ha llamado tu madre: que la semana que viene va a empezar un curso de árabe.

Gramática
(Ha dicho) Que + información
(Ver resumen gramatical, apartado 19.2)

Comunicación
Transmitir preguntas
● Ha llamado Miguel. Ha preguntado si vamos a ir al cine mañana y qué película podemos ver.

Gramática
Ha preguntado si....
Ha preguntado qué / dónde / cuándo /...
(Ver resumen gramatical, apartado 19.3)

Comunicación
Transmitir peticiones
● Ha llamado Germán: (quiere) que le envíes el billete esta tarde.
● Te ha llamado Elisa: ha dicho que la llames cuando puedas.

Gramática
Ha dicho que + presente de subjuntivo
(Quiere) que + presente de subjuntivo
(Ver resumen gramatical, apartado 19.4)

CITAS SOBRE AMÉRICA LATINA

1 **a]** Lee estas citas y averigua el significado de lo que no entiendas.

1. Simón Bolívar, militar y político venezolano: "No somos ni indios ni europeos."

2. Arturo Uslar Pietri, escritor venezolano: "América Latina fue básicamente tierra de encuentros."

3. Julio Cortázar, escritor argentino: "En cualquier país de América Latina yo estoy tan en mi casa como en la Argentina: si vivo en La Habana o en Panamá es exactamente como si viviera en Buenos Aires."

4. Elena Poniatowska, escritora mexicana: "La realidad siempre supera a la ficción en América Latina. Allí siempre sucede lo que no te esperas."

Latina

5. Rigoberta Menchú, guatemalteca, premio Nobel de la Paz: "Antes de que fuera refugiada, pensaba que mi cultura milenaria era un legado de mis ancestros mayas, pero hoy estoy convencida de que es un patrimonio universal."

6. León Gieco, músico argentino: "Latinoamérica es la última reserva de alimentos que tiene el planeta, pero también es la última reserva espiritual y musical."

7. Isabel Allende, escritora chilena: "Para entender a nuestro continente hay que leer a nuestros escritores, escuchar a nuestros músicos, admirar a nuestros pintores. Ellos son las voces que hablan por los que están sometidos al silencio, ellos son los chamanes."

b] ¿Qué cita o citas relacionas con...

A. ... la herencia cultural de América Latina?
B. ... las semejanzas entre los diferentes países latinoamericanos?
C. ... la mezcla de razas diferentes en América Latina?
D. ... la emigración a América Latina?
E. ... lo que ofrece América Latina al mundo?
F. ... la vida cotidiana en América Latina?

A-5;...

c] Elige dos citas con las que estés muy de acuerdo y prepara una explicación o argumentos que las justifiquen (puedes escribirlos).

d] Díselos a tus compañeros. ¿Están de acuerdo contigo? ¿Y tú con sus argumentos? ¿Puedes añadir tú algo a lo que dicen ellos?

juego de vocabulario

1 a) Busca en las lecciones 5 a 8 y anota tres palabras que te parezcan útiles y te resulten difíciles.

b) En grupos de tres. Por turnos, un alumno explica una palabra, pero no la menciona; puede dar una definición o un ejemplo, decir una frase en la que falta esa palabra, etc. Sus compañeros deben adivinar cuál es (si lo desean, pueden hacer alguna pregunta).

juego de formas verbales

2 a) Piensa en los tiempos verbales que has estudiado en las lecciones 5 a 8 y anota cinco formas verbales que te parezcan difíciles.

Vayamos.

b) En parejas. Por turnos, dile a tu compañero las formas verbales que has anotado para que este diga una frase con cada una de ellas y obtenga un punto. Gana quien consiga más puntos.

Espero que vayamos mañana al cine.

3 a) Responde a estas preguntas:

1. ¿Qué tipo de personas te gustan?

2. ¿Qué tipo de personas no te gustan?

3. ¿Con quién de tu familia te llevas mejor?

4. ¿Qué personaje público te cae bastante mal?

5. ¿A quién te pareces físicamente?

6. ¿A quién te pareces en el carácter?

7. Una cosa que te pone nervioso/a hacer.

8. Una cosa que te da vergüenza hacer.

9. ¿Cuándo te pones triste?

b) Averigua las respuestas de un compañero. Si hay alguna que te sorprenda, coméntasela a la clase.

4 a) Escucha las respuestas de Raquel a las preguntas de la actividad 3 y toma nota.

b) Trabaja con el compañero de 3b). Comparad vuestras respuestas con las de Raquel. ¿Quién de los dos coincide más con ella?

5 a) ¿Esperas tú estas cosas de tus amigos? Coméntalo con la clase.

De un/a amigo/a espero...

... que me quiera mucho.
... que me acepte como soy y no me juzgue ni me critique.
... que sea sincero/a conmigo y me cuente todo.
... que me ayude cuando lo necesite.
....
....

b) Añade otras cosas que también esperas de tus amigos.

c) Averigua qué han escrito tus compañeros y corregidlo entre todos. ¿Han dicho algo interesante que no has escrito tú?

6 a) ¿Qué crees que significa "Que te vaya bonito"? Comprueba con el profesor.

QUE TE VAYA BONITO

Ojalá que te vaya bonito.
Ojalá que se .... tus penas,
que te .... que yo ya no existo,
que .... personas más buenas
que te den lo que no pude darte,
aunque yo te haya dado de todo.
Nunca más volveré a recordarte.
Te adoré, te perdí a mi modo.
Cuántas cosas quedaron prendidas
hasta dentro del fondo de mi alma.
Cuántas luces dejaste ....
Yo no sé cómo voy a ....

Ojalá que mi amor no te ....
y te .... de mí para siempre,
que se llenen de sangre tus venas
y la vida te vista de suerte.

JOSÉ ALFREDO JIMÉNEZ

b) Lee el fragmento incompleto de esta canción mexicana y averigua qué significa lo que no entiendas.

c) Complétalo con estas palabras.

conozcas

apagarlas

acaben

encendidas

digan

olvides

duela

 d) Escucha y comprueba.

e) Comenta con tus compañeros las respuestas a estas preguntas:

● ¿Te han deseado alguna vez eso o algo parecido al finalizar una relación afectiva?
Y tú, ¿lo has deseado?
● ¿Crees que en ese tipo de situaciones se desea habitualmente eso?

 f) Escucha de nuevo y elige los versos que te gusten más. Si lo deseas, puedes aprendértelos para que los cantes en tu tiempo libre y disfrutes practicando español.

7 *a)* Lee este artículo y ponle un título.

Un estudio sobre los hábitos alimenticios de los escolares españoles revela que los menores de doce años toman poca leche, fruta, verdura, y que abusan de las grasas, de los dulces industriales y de los productos envasados o enlatados. La dieta que siguen no es la más apropiada. Desayunan poco, por la prisa de llegar al "cole". Muchos de los platos sanos que este ofrece son rechazados por los niños. Al llegar a casa hambrientos, unen la merienda y la cena con cosas que van comiendo durante toda la tarde y luego no les apetece tomar otros alimentos que son básicos y más sanos. Todo esto, más un exceso de carne y de comida rápida, y la inactividad física delante de la televisión, provoca niños gordos parecidos a los que vemos en las series televisivas. Por eso, un 14 % de los encuestados reconoce que sigue dietas para adelgazar.

Fuente: *El Ciervo*

ADEMÁS:
- EJERCICIO FÍSICO DIARIO
- VINO CON MODERACIÓN
- 6 VASOS DE AGUA DIARIOS

ALGUNAS VECES AL MES

CARNE ROJA
DULCES
HUEVOS
POLLO

ALGUNAS VECES A LA SEMANA

PESCADO
QUESO Y YOGURT
ACEITE

DIARIAMENTE

FRUTAS
LEGUMBRES Y FRUTOS SECOS
VEGETALES
PAN, PASTA, ARROZ, COSCOUS, POLENTA Y PATATAS

PIRÁMIDE DE LA DIETA MEDITERRÁNEA

b) Busca en el texto derivados de estas palabras:

alimento	escuela	industria	lata
hambre	actividad	encuesta	delgado

alimento ➡ alimenticios

c) Completa este texto sobre el artículo.

Los escolares españoles menores de doce años comen .... dulces. Por la mañana no tienen el tiempo suficiente para .... todo lo que necesitan. En el comedor del colegio .... muchos de los platos que les sirven. Cuando vuelven a .... tienen mucha hambre y a lo largo de la .... toman muchas cosas que les quitan el apetito. El porcentaje de niños .... es bastante alto y muchos de ellos siguen un régimen de alimentación con el fin de ....

d) Comenta con la clase:

- ¿Crees que se puede decir lo mismo de la alimentación de los escolares de tu país? ¿Qué diferencias encuentras?
- ¿Tú también te alimentabas así cuando eras pequeño-a?

8 En grupos de cuatro. El profesor va a colocar sobre la mesa un taco de tarjetas (en cada una de ellas se describe un problema). Cada alumno toma, por turnos, una tarjeta y explica "su problema" a sus compañeros. El que le dé el mejor o los mejores consejos se queda con la tarjeta. Gana el que consiga más tarjetas.

9 **a)** Lee este texto y responde a la pregunta.

● ¿Por qué no le resuelve el padre la duda a Juanito?

Juanito está haciendo los deberes en casa. Tiene una duda y le pide ayuda a su padre.
—¿Me puedes explicar una cosa, papá?
El padre lee el cuaderno. Lo vuelve a leer. Mira al techo. Vuelve al cuaderno.
—Es que estoy esperando una llamada importante y...
—Es solo un minuto, papá.
—Bueno, a ver.
El padre vuelve a leer el cuaderno. Lo mira. Lo mira de nuevo y por fin dice:
—Yo no entiendo qué os enseñan ahora. Han cambiado todo. Antes lo estudiábamos de otra manera y...
—¿Lo sabes o no?
—Sí, sí lo sé; pero si te lo explico como yo lo estudié, no vas a entender nada...

Gomaespuma: *Familia no hay más que una* (adaptado)

b) Imagínate que ese diálogo tuvo lugar el otro día. Escribe frases transmitiendo lo que dijeron el padre y el hijo. Recuerda que puedes usar los verbos del recuadro.

preguntar
contestar / responder
decir / comentar
añadir

Juanito le preguntó a su padre si...

10 a) Lee el texto de todas las casillas y asegúrate de que entiendes todo.

Algunas cosas que son perjudiciales para la salud.

La última vez que te enfadaste. ¿Por qué fue?

Piensa en una conversación que mantuviste ayer. ¿Qué te dijeron?

Dos personas que se parecen mucho. ¿Qué relación tienen?

Un buen deseo en una despedida.

¿Qué deberías hacer para cuidar tu salud (que no haces)?

Una persona de tu centro de estudios que te cae muy bien.

Una cosa que te preocupa bastante.

Dale a tu compañero tres consejos para vivir muchos años.

Transmítele a tu compañero un mensaje gracioso que "te han dado" para él.

Una cosa que te molesta mucho.

¿Qué deseos puedes expresarle a una persona el día de su cumpleaños?

¿Qué esperas de un profesor de español?

Una cosa que te dio mucha risa.

Cuéntale a tu compañero un problema "tuyo" y pídele consejo.

Un buen deseo para tu compañero.

¿Haces algo para cuidar tu salud? ¿En qué consiste?

Una persona con la que te llevabas muy bien de pequeño/a.

Dos buenos deseos para unos recién casados.

¿Hasta cuándo seguirás estudiando español?

¿Qué harás cuando termine esta clase?

¿Recuerdas alguna de las citas de la lección 8?

¿Recuerdas la última vez que te pusiste rojo/a? ¿Por qué fue?

Describe el carácter de un familiar tuyo.

b) En parejas (alumno A y alumno B). Juega con una ficha de color diferente a la de tu compañero. Empieza en la casilla que te corresponda.

c) Por turnos. Avanza una casilla y habla del tema o responde a la pregunta de la casilla a la que llegues. Si no dices nada, pierdes un turno. Gana el primero que llegue al otro extremo.

Recursos para aprender más

Un club de español

11 Una buena idea para practicar español fuera de clase es crear un club de español en el centro en el que estudias. Si estáis de acuerdo con la idea, podéis crear uno.

a) Debatid y decidid entre todos los siguientes aspectos:

> ¿Podrán ser miembros de ese club alumnos de otras clases? ¿Y de otros niveles?
>
> ¿Dónde os reuniréis? Decídselo a vuestro profesor o a la persona apropiada del centro para que os dé el permiso.
>
> ¿Cuándo os reuniréis? ¿Con qué frecuencia?

b) Lee estos anuncios de un club de español y relaciónalos con las correspondientes actividades de la lista.

Carnaval en el Club de Español
¡No os olvidéis de los disfraces...
ni de traer algo de comida o bebida...
y amigos o amigas!

Día 14 de marzo, a las 18:00 horas
Vídeo: LAS FIESTAS PATRONALES
EN ESPAÑA. Debate posterior.

Participa en el concurso de cultura latinoamericana y trae tus propias preguntas.

¿Qué opinas de las ONG? El día 28 de marzo, a las 19 h., tendrás la oportunidad de decirlo y debatir el tema con tus compañeros/as.

- Debates
- Charlas
- Concursos y juegos
- Películas o vídeos
- Videofórum
- Fiestas de diferentes países

c) Añade otras actividades que te gustaría realizar.

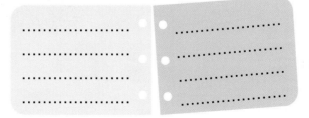

d) Ahora pregunta a tus compañeros para saber cuáles son las actividades que os gustaría realizar a la mayoría de vosotros.

e) ¿Cuál puede ser la primera actividad del club? Decidid qué vais a organizar, cuándo y cómo. Decidid, también, si vais a convocar algún acto o fiesta de inauguración. En caso afirmativo, acordad si vais a invitar a alguien.

Ciudades

OBJETIVOS

- Describir una ciudad
- Expresar opiniones y argumentarlas
- Expresar acuerdo y desacuerdo
- Sugerir medidas y expresar sus efectos
- Mostrarse a favor o en contra de una propuesta
- Debatir un tema

1 **a]** Estos adjetivos pueden servir para describir una ciudad. Averigua el significado de los que no conozcas.

ruidoso

tranquilo

peligroso

acogedor

alegre

tradicional

fascinante

abierto

caótico

bonito

limpio

cerrado

aburrido

feo

cosmopolita

violento

humano

sucio

b] Pronuncia las palabras de 1a) que sean nuevas para ti. Presta especial atención a la sílaba más fuerte.

c] Comprueba con el profesor.

2 **a]** ¿Conoces Madrid? ¿Qué idea tienes de ella? Di qué adjetivos de la actividad anterior utilizarías para describirla.

(Tengo la impresión de que es una ciudad) Acogedora...

b] Lee lo que dicen estas personas sobre Madrid y comprueba si estás de acuerdo con alguna de ellas.

Madrid es una ciudad sucia y algo peligrosa, como muchas ciudades grandes. Pero me encanta su lado humano: en algunos barrios la gente se relaciona y vive como en los pueblos.
MANUEL MONTEAGUDO, abogado

En Madrid conviven en armonía lo bueno y lo menos bueno, lo novedoso y lo tradicional.
RAMÓN SEGURA, ganador del Campeonato de España de Cocineros

Madrid tiene un caos que a mí me parece fascinante. Es una ciudad insoportablemente viva a veces. Madrid no le pregunta nunca a nadie de dónde es.
ADOLFO MARSILLACH, actor y director de teatro

He tenido que aprender a vivir en su caos. Pero pienso que es una ciudad acogedora. Aquí nadie se siente extranjero.
ANTOLÍN RODRÍGUEZ, ex director del Insalud

Los principales problemas de Madrid son el tráfico y la superpoblación. Por otra parte, es una ciudad alegre, que siempre está despierta, que no duerme, en la que los amigos se siguen viendo para tomarse unos vinos en el bar de la esquina.
EMILIO ARAGÓN, actor

Adoro Madrid con sus millones de inconvenientes y de maravillosas ventajas.
JOSÉ LUIS COLL, humorista

Me gusta lo que se respira en Madrid, lo que tiene de cosmopolita, de cálido. A pesar de su parte agresiva, esta ciudad está pensada para salir y comer.
LLUÍS HOMAR, director de teatro

Fuente: *El País*

3 a) Con un compañero, haced una lista de los adjetivos que recordéis para describir ciudades.

b) Escuchad a una colombiana hablando sobre Madrid con un amigo español y marcad los adjetivos de vuestra lista que menciona.

c) Vuelve a escuchar la grabación. ¿Cuáles de los adjetivos que has escuchado crees que pueden aplicarse a Madrid? Coméntalo con la clase.

4 a) Elige una ciudad que conozcas bien para escribir tus opiniones sobre ella (no puede ser la ciudad en la que estás viviendo ahora). Sigue estos pasos:

Anota todas las ideas que se te ocurran. → Ordénalas y piensa cómo las vas a relacionar. → Redacta el texto sin mencionar el nombre de la ciudad.

Pásalo a limpio si es necesario. ← Revísalo. ¿Has expresado lo que querías? ¿Están claras las ideas? Haz las correcciones que consideres convenientes.

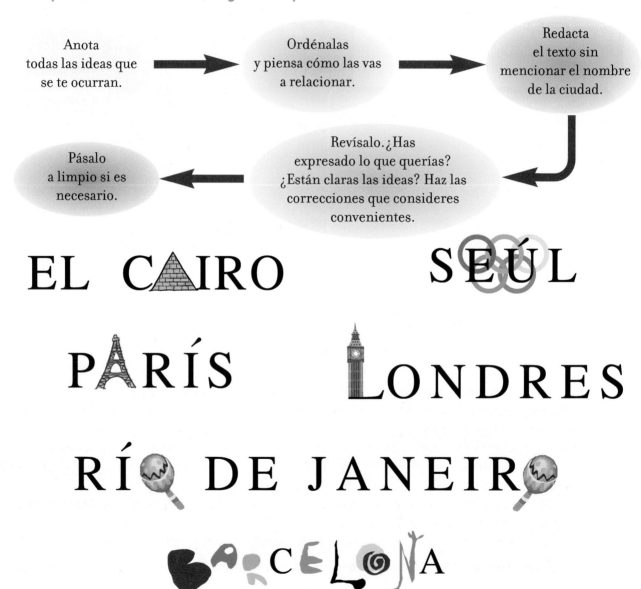

EL CAIRO

SEÚL

PARÍS

LONDRES

RÍO DE JANEIRO

BARCELONA

b) Intercambia tu texto con un compañero. ¿Sabe de qué ciudad se trata? Puede hacerte preguntas a las que tú responderás "sí" o "no".

c) Corrige los posibles errores del texto de tu compañero y coméntalos con él.

5 a) ¿Qué opinas sobre la población en la que estás viviendo ahora? Prepara lo que vas a decir.

b) Coméntaselo a un compañero y averigua si piensa lo mismo que tú.

6 a) Estas palabras sirven para expresar ventajas e inconvenientes de la vida en la ciudad. Pregúntale al profesor qué significan las que no entiendas.

contaminación
libertad
ruido
variada oferta cultural
estrés
anonimato
más ofertas de trabajo
soledad
tráfico
buenos servicios públicos
masificación
inseguridad ciudadana
más oferta educativa

b) Ahora anota cada palabra en la columna correspondiente.

ventajas	inconvenientes
libertad	

c) ¿Puedes añadir tú otras ventajas e inconvenientes?

OPINIONES. ACUERDO Y DESACUERDO

7 a) Lee esta parte de un debate y asegúrate de que entiendes todo.

Ángela: Es evidente que en las ciudades hay más trabajo que en los pueblos.
Miguel: Sí, tienes razón: es más fácil encontrar trabajo en una ciudad. Sin embargo, también es cierto que hay gente que gana muy poco y la vida en una ciudad es más cara que en un pueblo.
Lucía: Totalmente de acuerdo con eso. Además, en las ciudades también hay mucho desempleo.
Eduardo: Cambiando de tema, a mí me parece que hay más libertad en las ciudades que en los pueblos, porque te conoce menos gente y te sientes menos controlado.
Gloria: Yo estoy completamente de acuerdo contigo: se vive más libremente en una ciudad. Y, además, yo creo que la gente de la ciudad es más tolerante.
Lucía: Yo no lo veo así. Yo no creo que sea más tolerante; para mí, es más abierta pero no más tolerante.

b) ¿Estás de acuerdo con alguna de esas personas? Díselo a tu compañero.

Yo estoy de acuerdo con Ángela: en las ciudades hay más trabajo que en los pueblos.

8 a) Lee estas frases con el verbo *creer* y fíjate en las diferencias. Trata de formular la regla gramatical, que también se aplica a otros verbos para dar la opinión, como *pensar* y *opinar*.

Yo creo que la gente de la ciudad es más tolerante.

Yo no creo que la gente de la ciudad sea más tolerante.

b) Dile la regla al profesor para que te la confirme.

9 a) Fíjate en estas formas de expresar acuerdo y desacuerdo.

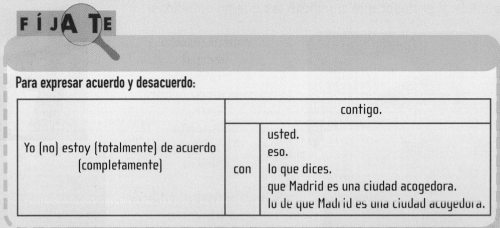

FíJATE

Para expresar acuerdo y desacuerdo:

		contigo.
Yo (no) estoy (totalmente) de acuerdo (completamente)	con	usted.
		eso.
		lo que dices.
		que Madrid es una ciudad acogedora.
		lo de que Madrid es una ciudad acogedora.

b) Las expresiones de este cuadro sirven también para expresar diversos grados de acuerdo y desacuerdo. Complétalo con estos títulos.

DESACUERDO TOTAL   DESACUERDO PARCIAL   ACUERDO TOTAL

....	....	....
de acuerdo	(Bueno,) Depende	Yo no lo veo así
tienes razón	Puede ser	¡Qué va!
por supuesto	Es posible	Yo no estoy nada de acuerdo
desde luego	¿Tú crees?	con...
sí, es verdad / cierto		

10 a) Lee estas informaciones. ¿Entiendes todo?

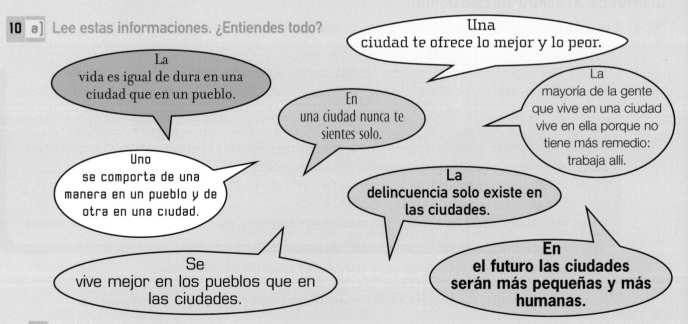

b) Comenta con un compañero si estás o no de acuerdo con las frases que has leído y comprueba si piensa lo mismo que tú.

- (Yo no creo que la vida sea igual de dura en una ciudad que en un pueblo; yo creo que es mucho más dura en una ciudad porque...)
- (Sí, de acuerdo, pero...)

11 a) Escucha a dos amigos discutir sobre la vida en las ciudades y anota qué aspectos de 10a) mencionan.

b) Vuelve a escuchar y escribe en qué cosas están de acuerdo y en cuáles están en desacuerdo.

c) Escucha de nuevo y anota qué ventajas e inconvenientes ve cada uno en una ciudad y en un pueblo.

	VENTAJAS CIUDAD	VENTAJAS PUEBLO	INCONVENIENTES CIUDAD	INCONVENIENTES PUEBLO
JULIO	*encontrar trabajo*			
SONIA				

12 a) Aquí tienes una serie de medidas para mejorar la vida en las ciudades y en los pueblos. Relaciona cada una con el efecto más apropiado.

1. Yo mejoraría el transporte público,...
2. Yo construiría más parques y zonas verdes,...
3. Yo prohibiría la circulación de vehículos por el casco antiguo,...
4. Yo organizaría unos programas culturales buenísimos, con actos sociales interesantísimos,...
5. Yo crearía puestos de trabajo fuera de la ciudad, en los pueblos,...
6. Yo pondría un carril bici en todas las calles importantes,...

A ... así los niños tendrían más espacio para jugar y los adultos para pasear.
B ... así la gente lo utilizaría más.
C ... así la gente vería menos la televisión y se relacionaría más.
D ... así habría menos problemas de tráfico y se podría caminar.
E ... así la gente podría moverse en bicicleta.
F ... así la gente se iría a vivir allí y las ciudades serían más habitables.

b) ¿Qué otras medidas tomarías tú? Escríbelas y no olvides añadir sus efectos.

13 a) Fíjate en cómo podemos expresar que estamos a favor o en contra de algo.

F í J A T E

Para mostrarse a favor o en contra de una propuesta:

Estoy	a favor / en contra	de	la construcción de más zonas verdes. / construir más zonas verdes. / que construyan más zonas verdes.

b) Ahora averigua si tu compañero está a favor de todas las medidas de la actividad 12, sobre todo de las que has pensado tú.

● (Supongo que) Estás a favor de que mejoren el transporte público, ¿no?
● (Sí, claro, ¿y tú?)
● (Yo también.)

ESTRATEGIAS DE COMUNICACIÓN: PARTICIPAR EN UN DEBATE

14 **a)** Lee estas frases que se pueden decir en un debate.

1. No es eso lo que yo quería decir.   2. Exactamente, ¿qué quieres decir (con eso)?

3. Perdona que te interrumpa, pero...   4. ¿Puedo decir una cosa?

5. Yo no he dicho eso: he dicho que...

6. (Perdona, pero) Es que todavía no he terminado.

7. Entonces, ¿quieres decir que...?.   8. Perdón por la interrupción, pero....

9. No, no; lo que quiero decir es que...   10. (Perdona.) Déjame terminar, por favor.

b) ¿Para qué sirve cada una de ellas? Anótalas en la columna correspondiente.

TOMAR LA PALABRA	PEDIR UNA ACLARACIÓN	HACER UNA ACLARACIÓN	INTERRUMPIR A QUIEN ESTÁ HABLANDO	NO DEJAR SER INTERRUMPIDO
	Exactamente, ¿qué quieres decir con eso?	No es eso lo que yo quería decir.		

UN DEBATE

15 **a)** Piensa en la respuesta a esta pregunta:

● ¿Crees que las ciudades ofrecen más ventajas que inconvenientes?

b) Busca a un compañero que haya respondido como tú y trabaja con él.

Si la respuesta ha sido positiva, haced una lista de ventajas que ofrecen las ciudades, argumentándolas.

Si la respuesta ha sido negativa, haced una lista de inconvenientes que ofrecen las ciudades, argumentándolos.

c) Buscad otra pareja que haya respondido como vosotros y seleccionad los mejores argumentos.

d] Vais a hacer un debate en grupo. Exponed vuestros argumentos a la clase, defendedlos y tratad de rebatir los que expongan los compañeros con los que no estéis de acuerdo. Recordad que también podéis utilizar frases de la actividad 14.

e] ¿Sigues pensando lo mismo que en el apartado a) o te han hecho cambiar de opinión tus compañeros?

f] Anota los mejores argumentos que has escuchado en el debate. ¿Has aprendido alguna palabra nueva?

RECUERDA

Comunicación

Describir una ciudad
- Madrid es una ciudad alegre y un poco ruidosa. Lo que más me gusta de ella es la gente, que es muy acogedora.

Expresar opiniones y argumentarlas
- A mí me parece que la gente es más libre en una ciudad porque no se siente controlada. Yo creo que se vive mejor en las ciudades que en los pueblos.

Gramática

Impersonalidad:
– la gente, la mayoría de la gente
– se + verbo en 3ª persona singular/plural
– uno/una + verbo en 3ª persona singular
– 2ª persona singular (tú)
– 3ª persona plural (ellos)
(Ver resumen gramatical, apartado 20)

Creo / pienso / opino / ... que + indicativo
No creo / pienso / opino / ... que + subjuntivo
(Ver resumen gramatical, apartado 21)

Comunicación

Expresar acuerdo y desacuerdo
- Yo estoy totalmente de acuerdo con lo que dices.

- Sí, de acuerdo, pero a mí me parece que...

- Pues yo no lo veo así. Yo creo que...

Gramática

Lo:
– Lo de + sustantivo o nombre propio
– Lo que + verbo
– Lo de que + información
(Ver resumen gramatical, apartados 22 y 23)

Comunicación

Sugerir medidas y expresar sus efectos
- Para mejorar la vida en la ciudad yo solucionaría el problema del tráfico, así la gente no perdería tanto tiempo en viajes.

Gramática

Condicional
(Ver resumen gramatical, apartado 1. 6)

Comunicación

Mostrarse a favor o en contra de una propuesta
- Estoy a favor de la prohibición de aparcar coches en ciertas calles.

- Estoy a favor de que prohíban aparcar coches en ciertas calles.

Gramática

Estar **a favor de** / **en contra de** + infinitivo / sustantivo / que + subjuntivo

LA AMÉRICA LATINA URBANA

1 a) ¿Crees que en Latinoamérica vive más gente en el campo que en las ciudades? Díselo a tus compañeros.

b) Lee el texto y comprueba.

CIUDADES DE AMÉRICA LATINA

Hasta los años cuarenta, América Latina era esencialmente rural. En esa década muchas personas que residían en el campo comenzaron a emigrar a las ciudades. Se cree que de 1950 a 1976, casi 40 millones de campesinos se instalaron en ellas. Actualmente, el 75 % de la población latinoamericana es urbana y existen cuatro megalópolis hispanoamericanas (ciudades con más de 8 millones de habitantes). Son México D.F., que tiene más de 20 millones; Buenos Aires, cerca de 14; Lima, más de 9; y Bogotá, más de 8.

Este crecimiento ha degradado poco a poco el espacio urbano. Muchas de las superficies habitadas han aumentado demasiado y los largos viajes urbanos se han convertido en un problema. La multiplicación de los medios de transporte individuales y colectivos ha agravado los niveles de contaminación, tal como sucede en la mayoría de las grandes ciudades del mundo.

2 Lee de nuevo y busca derivados de:

campo	➡ campesino
habitar	➡
vivir	➡
contaminar	➡
sanidad	➡
crecer	➡
grave	➡
multiplicar	➡

Sin embargo, las grandes ciudades ofrecen a sus nuevos habitantes cosas que no tiene el mundo rural: modernos hospitales, escuelas y universidades, vivienda, una estructura sanitaria, más lugares para disfrutar del tiempo libre y una variada oferta cultural. Por eso, aunque las posibilidades reales de trabajo han disminuido, la gente continúa emigrando a las ciudades.

Fuente: JACQUELINE COVO, *América Latina*

3 a) Piensa en las respuestas a estas preguntas y luego coméntalas con la clase.

- ¿Qué esperan encontrar en las ciudades los campesinos que emigran a ellas?
- ¿Lo encuentran?

b) Escribe con tus propias palabras los aspectos negativos de las grandes ciudades mencionados en el texto.

Han crecido demasiado.

4 Piensa en las respuestas a estas preguntas y luego coméntalas con la clase.

¿Crees que las ciudades latinoamericanas seguirán creciendo?

¿En el futuro se vivirá mejor o peor en ellas?

¿Qué medidas deberían tomar los gobiernos para evitar y solucionar los problemas urbanos?

10

Sucesos y bromas

1 a) Observa esta ilustración correspondiente a un suceso. ¿Qué crees que ocurrió? Díselo a tu compañero.

Creo que...

b) Elige dos palabras cuyo significado no conozcas y búscalas en el diccionario.

robar   joyas   agentes

tumbarse   merluza

vino   roncar   avisar

c) Pregúntales a tus compañeros qué significan las demás palabras y asegúrate de que entiendes su significado.

d) Las palabras de 1b) están incluidas en una noticia de periódico que narra un suceso. Imagina qué pasó y luego cuéntaselo a tu compañero dando todos los detalles que creas necesarios. ¿Coinciden vuestros relatos?

e) Ahora lee la noticia y comprueba qué habéis acertado tu compañero y tú.

SUCESOS

"Si no es por la merluza, nos quedamos sin joyas"

Ayer tuvo lugar un curioso incidente. Jesús M. F., de 25 años, entró en una vivienda por la terraza con intención de robar. Después de asaltar la casa, encontró en la cocina una deliciosa merluza a la marinera, lista para comer. No lo dudó y abrió una botella de vino para tomarlo con el pescado. Cuando acabó se encontraba algo cansado y tenía sueño, por lo que decidió dormir una siesta y se tumbó en el lugar que consideró más seguro: debajo de la cama del dormitorio principal.

he didn't think mice

Poco tiempo después regresaron los propietarios, un matrimonio joven que había preparado parte del almuerzo antes de salir a hacer la compra para la semana siguiente. La mujer entró en el dormitorio y oyó unos ronquidos. Buscó su origen y vio a un desconocido que estaba tumbado debajo de su propia cama y roncaba mientras dormía profundamente. Decidieron no hacer ruido para no despertarle y avisaron a la policía.

La espera fue tensa y larga; duró 50 minutos, y en ese espacio de tiempo llamaron tres veces más a la policía. Afortunadamente, el ladrón seguía dormido cuando llegaron los agentes.

Al ser detenido, Jesús dijo que se sentía muy sorprendido y que no sabía cómo había aparecido allí. Sin embargo, *however* a su lado había un joyero con varias piezas, valoradas en más de 600 euros.

La pareja mostró su satisfacción y se sintió orgullosa de sus conocimientos de cocina: "Si no es por la merluza, nos quedamos sin joyas", declaró el marido.

---

2 Lee estas frases de la noticia anterior y escribe en cuál de ellas...

A. ... se especifica el número de veces que se realizó una acción pasada. **5**

B. ... se especifica la duración de una acción pasada.

C. ... se describe el estado de una persona en el pasado.

D. ... se describe la circunstancia en la que se produjo un hecho pasado.

E. ... se expresa una acción pasada anterior a otra acción pasada.

5. indefinido
1. indefinido
4. imperfecto
2. imperfecto + indefinido
3. pluscuamperfecto + inf.

1. La espera **duró** 50 minutos.

2. El ladrón **seguía** dormido cuando **llegaron** los agentes.

3. El matrimonio joven **había preparado** el almuerzo antes de salir a hacer la compra para la semana siguiente.

4. El ladrón se **encontraba** algo cansado y **tenía** sueño.

5. En ese espacio de tiempo **llamaron** tres veces más a la policía.

3 **a]** Lee otra vez la noticia y fíjate en las otras formas verbales que se han utilizado para referirse al pasado. Si tienes alguna duda sobre su uso, consúltasela a tu profesor.

b] Completa este texto sobre la noticia que has leído con formas verbales del pasado.

> Cuando Julia estaba (estar) a punto de ponerse las zapatillas, se ...dio... (dar) cuenta de que [realise]
> había... (haber) alguien debajo de la cama. Como ..estaba... (estar) profundamente dormido,
> Julia ...avisó... (avisar) rápidamente a la policía, que ...tardó... (tardar) casi una hora en llegar.
> Durante ese intervalo de tiempo ...llamó... (llamar) varias veces más a la policía.
> Al ser despertado por los agentes, el desconocido ...vio... (ver) que no se ...encontraba... (encontrar) [woken up]
> solo y se mostró muy sorprendido, pero no ...confesó... (confesar) el verdadero motivo de su visita:
> había entrado... (entrar) unas dos horas antes a robar.

4 **a]** Escribe algunas frases sobre el pasado. Trata de elegir los usos que te parezcan más difíciles y asegúrate de que el contexto está muy claro en cada caso.

b] Intercambia tus frases con un compañero para corregir los posibles errores.

c] Comentad las correcciones que habéis hecho. ¿Estáis de acuerdo?

5 Dos grupos (A y B).

a] Lee la noticia que te dé el profesor. Luego trabaja con los compañeros de tu grupo para asegurarte de que entiendes todo.

b] Escribid las respuestas a las preguntas que os va a dar el profesor.

c] Dictadle las respuestas al profesor para que las escriba en la pizarra. Los miembros del otro grupo van a leerlas para intentar reconstruir la noticia. (Os pueden hacer preguntas a las que responderéis "sí" o "no".)

d] El profesor va a entregar al otro grupo vuestra noticia; explicadles lo que no entiendan.

6 a] Vas a escuchar una noticia curiosa. Antes, fíjate en las viñetas y escribe algunas palabras que crees que vas a oír.

b] En parejas. Ordenad las ilustraciones e intentad reconstruir la noticia.

c] Escucha y comprueba. ¿Cuál es el orden de las ilustraciones?

7 a] En grupos de seis. Cada alumno escribe en la parte superior de una hoja el principio de una anécdota real o inventada.

Estaba leyendo yo una noche en mi habitación y, de repente, oí un ruido.

Cada alumno le pasa la hoja al compañero de la derecha, que la lee y continúa la historia con otra frase, y así hasta que llegue al que escribió primero. Este tiene que escribir el final de la historia.

b] Léeles a los miembros de tu grupo la historia de la hoja que tengas ahora y escucha las que lean tus compañeros.

c] Decidid cuál es la mejor historia y leédsela al resto de la clase.

ESTRATEGIAS DE APRENDIZAJE: USO DEL DICCIONARIO

8 **a)** ¿Utilizas habitualmente un diccionario monolingüe de español? ¿Qué ventajas e inconvenientes tiene con respecto a uno bilingüe? Coméntalo con tus compañeros.

b) En un diccionario monolingüe puedes encontrar, entre otras, estas informaciones. Di cuáles aparecen también en tu diccionario.

Entrada con división silábica

Ejemplos de uso

Palabras que tienen el mismo significado

Pronunciación y sílaba más fuerte

Palabras contrarias

Categoría gramatical

Definición

Información sobre la conjugación verbal

Explicaciones de uso

c) Completa cada una de las cajas con las palabras correspondientes del apartado b).

> **bro-ma** [bróma] s.f. Hecho o dicho con que alguien intenta reírse o hacer reír, sin mala intención: *Es un chico muy gracioso, siempre está haciendo bromas.* Si se hace para engañar a alguien, sin mala intención, se usa con el verbo *gastar*: *Le gastaron una broma: le dijeron que yo era el profesor.* || **Broma de mal gusto**; broma poco fina: *Fue una broma de mal gusto decirle eso y, además, de esa forma tan brusca.* || **Broma pesada**; broma desagradable, que molesta: *Tirarla vestida a la piscina fue una broma pesada.* ■
> SINÓNIMOS: gracia, inocentada. FAMILIA: bromear, bromista.

9 **a]** Elige dos palabras cuyo significado no conozcas y búscalas en el diccionario.

| bromista | asustarse | bromear | echarse a reír |

| tomar el pelo (a alguien) | chiste | broma pesada | inocentada |

| gastar bromas (a alguien) | hacer bromas (a alguien) | extrañar (algo a alguien) |

b] Explícaselas a un compañero que no las conozca. Luego pídeles a tus compañeros que te expliquen las que no entiendas.

c] Ahora responde a estas preguntas. Puedes utilizar el diccionario.

¿Cuál es la sílaba más fuerte de la palabra *inocentada*?
....

¿A qué categoría gramatical pertenece *bromista*?
....

¿Cuántas sílabas tiene *bromear*?
....

¿Qué significa *carcajada*?
....

¿Cuántos significados tiene *extrañar*?
....

¿Qué palabra significa lo mismo que *hacer bromas*?
....

10 a) Ordena estos hechos para reconstruir la broma que le gastaron una vez a una persona. Puedes utilizar el diccionario.

3 Llegaron varios coches y, por fin, apareció uno muy elegante en el que iba mi futura mujer.

1 El día de mi boda llegué al juzgado acompañado de mi hermana, la madrina.

4 Fui hacia el coche a recibirla y el corazón me latía cada vez más deprisa.

7 Todo el mundo se echó a reír y empezó a aplaudir la broma. Yo, la verdad, no sabía qué hacer: estaba muerto de vergüenza.

5 Cuando le abrí la puerta y salió del coche, la encontré preciosa: llevaba un vestido de novia muy bonito y, aunque no se le veía la cara porque la tenía cubierta por un velo blanco, parecía muy contenta ¡y menos nerviosa que yo!

6 Justo en el momento en que iba a besarla, se descubrió la cara y... ¡resultó que era mi compañera de trabajo, que me recibió con una sonora carcajada!

2 Como faltaban diez minutos para la ceremonia, me quedé esperando a la novia en la calle.

b) Compara tus resultados con los de un compañero.

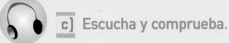

c) Escucha y comprueba.

11 a) Lee otra vez la broma y anota ocho o diez palabras clave para poder contarla.

b) Cierra el libro y utiliza esas palabras para reconstruir lo que le pasó a esa persona. Cambia una información o añade una nueva.

c) Cuéntale la broma a tu compañero. ¿Sabe cuál es la información nueva?

12 En parejas.

a) ¿Recuerdas alguna broma que hayas hecho o te hayan hecho a ti? ¿En qué consistió? ¿Cómo reaccionaste? Prepara lo que vas a decir. Puedes usar un diccionario.

b) Cuenta tu broma a un compañero y escucha también la suya. Asegúrate de que la has entendido y completa este cuadro.

¿Quién hizo la broma?	¿A quién se la hizo?
....	....
....	....
....	....
....	....
....	....
....	....
¿En qué consistió?	**¿Cómo reaccionó?**
....	....
....	....
....	....
....	....
....	....
....	....

c) Escribe la broma que te ha contado tu compañero.

d) Pásasela para que confirme los hechos y te comente los posibles errores.

e) Si es necesario, escribe la broma de nuevo. Luego, ponla en la pared de la clase para que todos puedan leerla.

RECUERDA

Comunicación

Especificar el número de veces que se realizó una acción
- Ayer hablé cuatro veces por teléfono con Marisa.

Especificar la duración de una acción o actividad pasada
- Estuvimos más de una hora allí.
- La visita duró casi dos horas.

Gramática

Pretérito indefinido
(Ver resumen gramatical, apartados 2.1.1.2 y 2.1.1.3)

Comunicación

Expresar dos acciones pasadas que se desarrollan simultáneamente
- Mientras Arturo hacía la cena, su mujer preparaba las clases del día siguiente.

Gramática

Pretérito imperfecto

Comunicación

Expresar una acción inminente que no se realizó
- Iba a cambiarse de calzado cuando oyó ronquidos. Buscó su origen y vio...

Gramática

Pretérito imperfecto
(Ver resumen gramatical, apartado 2.3.3)

Comunicación

Describir la situación o las circunstancias en las que se produjeron ciertos hechos
- Cuando bajaba las escaleras se cayó y se hizo mucho daño.
- Estábamos comiendo cuando llegó Jaime.

Gramática

Imperfecto-indefinido
Imperfecto de estar + gerundio
(Ver resumen gramatical, apartado 2.3.1)

Comunicación

Expresar una acción pasada anterior a otra acción o a una situación pasada
- Cuando llegué ya había empezado la película.

Gramática

Pretérito pluscuamperfecto (repaso)
(Ver resumen gramatical, apartados 1.3 y 2.5)

EL DÍA DE LOS SANTOS INOCENTES

1 a] Lee el texto y comprueba si las siguientes informaciones son verdaderas o falsas.

	v	f
Los Santos Inocentes es una fiesta de origen religioso.		
La costumbre de gastar bromas el 28 de diciembre es moderna.		
La fiesta se celebra solo en España y Latinoamérica.		
Los medios de comunicación también gastan bromas ese día.		

Cuenta la Biblia que, cuando nació Jesús, Herodes temía que le quitara el puesto de rey. Para evitarlo, y como no sabía dónde estaba Jesús exactamente, ordenó matar a todos los niños menores de dos años de la ciudad de Belén y alrededores. En recuerdo de la muerte de todos estos inocentes, los cristianos celebran el 28 de diciembre el Día de los Santos Inocentes.

En la Edad Media, las gentes de la iglesia empezaron a celebrar la fiesta con humor, y en la actualidad, en España, Latinoamérica y algunos países mediterráneos, es tradición gastar bromas en ese día. Algunas inocentadas tradicionales consistían en regalar tartas saladas, o clavar monedas en el suelo.

Actualmente, se hacen cosas como pegar un monigote de papel en la espalda de alguien, que lo lleva sin saberlo, o gastar una broma por teléfono.

Los medios de comunicación –prensa, televisión, radio, Internet– participan también en las inocentadas, dando noticias falsas, firmadas en muchos casos por un sospechoso redactor llamado Inocencio Santos.

b] ¿Qué inocentadas mencionadas en el texto puedes ver en las ilustraciones?

c] ¿Existe también en tu cultura algún día en el que se hacen bromas a los demás? ¿Qué tipo de bromas? Coméntalo con tus compañeros.

Latina

2 a] Lee estos titulares de prensa de diversos países de habla hispana. Uno de ellos no es una inocentada. ¿Sabes cuál?

Científicos afirman que el tabaco alarga la vida.

A partir de marzo, los trabajadores disfrutarán de tres días libres a la semana.

El precio de la gasolina baja un 20%.

Primer ministro británico se sube el sueldo el 40%.

El aeropuerto de la capital cambia de nombre. A partir de mañana recibirá el nombre del alcalde.

A partir de enero el uso de transportes públicos será gratuito.

Presidentes de Estados Unidos y Rusia forman dúo musical y graban un disco.

b] Escribe algún titular falso. Luego enséñaselo a tus compañeros. Votad para elegir los más ingeniosos.

El tiempo libre

OBJETIVOS

- Concertar citas
- Ceder la elección al interlocutor
- Poner condiciones para hacer algo
- Valorar y describir una película
- Hablar del tema y del argumento de una película

1 a] ¿Cuáles crees que son las actividades de tiempo libre más practicadas por los españoles? Escríbelo.

Jóvenes	
Adultos	
Tercera edad	

b] Lee este artículo sobre el ocio en España y comprueba tus hipótesis.

OCIO PARA TODAS LAS EDADES

El ocio es signo de calidad de vida e imprescindible para mantener una buena salud física y psíquica. En los últimos tiempos se ha universalizado. Hoy en día lo disfrutan todas las generaciones, pero es en la juventud cuando adquiere características más sociales. Así, los jóvenes españoles dedican la mayor parte de su tiempo libre a estar con sus amigos. Para ellos las actividades que

home-based

tienen lugar fuera de casa son de una gran importancia. Además, ven mucho la televisión y escuchan mucha música. Al mismo tiempo, son ellos quienes más deporte practican y más viajan. Ya en la edad adulta, los españoles pasan buena parte de su tiempo libre en compañía de su familia, y la televisión se convierte en estrella indiscutible. El ocio se vuelve esencialmente hogareño. Las populares

salidas al campo los fines de semana y las vacaciones veraniegas son los momentos en que los adultos disfrutan más del ocio. Para la tercera edad —ese 15 % de la población española que no tiene horarios laborales y goza mayoritariamente de buena salud—, el tiempo libre vuelve a ser protagonista. Sin embargo, según un estudio del Instituto de Servicios Sociales, la

gran mayoría de los jubilados no practica ningún deporte ni acostumbra a salir de casa para asistir a actos sociales o culturales. Ver la televisión, escuchar la radio y pasear son sus entretenimientos favoritos. Pero una minoría en aumento *increase* aprovecha la jubilación para desarrollar otras aficiones, como la lectura y los viajes de tipo cultural.

El País Semanal (adaptado)

pensioners / develop

c] Lee otra vez el texto y señala si estas frases son verdaderas o falsas.

	v	f
Los adultos pasan menos tiempo libre en casa que fuera.		✓
Las actividades individuales de ocio son las que más gustan a los jóvenes.		✓
La mayor parte de los jubilados realiza actividades de tipo intelectual.		✓	?
El tiempo libre contribuye al buen estado del cuerpo y de la mente.	✓	
Las personas de mediana edad disfrutan del tiempo libre en familia principalmente.	✓	

d] Ahora piensa en lo que hacen en su tiempo libre los jóvenes, los adultos y los jubilados de tu país. ¿Encuentras diferencias con respecto a España? Coméntaselo a tus compañeros.

2 a] Asegúrate de que entiendes estos nombres de actividades de tiempo libre.

turismo rural

patinar

viajes organizados

vela

ajedrez

montañismo

kárate

acampar

motociclismo

submarinismo

natación

viajes de aventura

cursos de expresión artística

conferencias

tertulias

bricolaje

ciclismo

videojuegos

pintar

yudo

atletismo

navegar por Internet

deportes de aventura

b] ¿Cuáles de esas actividades son deportes? Coméntalo con tus compañeros.

c] ¿Te gusta alguna de esas actividades? ¿Las practicas habitualmente? Díselo a tu compañero.

d] ¿Practicas, además, otras actividades de tiempo libre? Si lo necesitas, averigua cómo se dicen en español y explícaselo a tus compañeros.

CITAS

3 **a)** Lee estas frases y pregunta al profesor qué significa lo que no entiendas. Luego, intenta ordenar el diálogo.

A Una es *El cartero y Pablo Neruda*, la otra, *Secretos del corazón*. Por lo visto, están muy bien. ¿Cuál de las dos prefieres ver?

B-1 Bueno, ¿quedamos esta noche?

C ¡Qué bien! Entonces propongo ir al cine, que hay algunas películas que quiero ver.

D-3 ¿Y qué podemos hacer?

E Pues mira, hoy, si te parece, podemos ver *El cartero y Pablo Neruda*.

F ¿Y a qué sesión vamos? ¿A la de las ocho o a la de las diez?

G Vale. De acuerdo. Entonces, ¿te va bien que quedemos a las siete y media en la taquilla?

H La que quieras tú. A mí me da igual. Yo también tengo ganas de ver las dos.

I-2 Vale. Muy bien. No había pensado nada para hoy y, además, mañana no tengo que madrugar. *get up early*

J ¿Cuáles son?

K Lo que quieras. Hoy te dejo elegir a ti, o sea que puedes aprovechar... *take advantage*

L Estupendo. Y la otra la dejamos para otra ocasión.

M Perfecto. Y el primero que llegue saca las entradas, como siempre.

N A la que prefieras. Yo, la única condición que pongo es que vayamos al "Buñuel", que está cerca de casa. *el cine*

1–B, 2–I, 3–D, 4–...

 b) Escucha y comprueba.

 c) Escucha y lee el diálogo otra vez, fijándote en la entonación. Subraya las partes que te resulten más difíciles de pronunciar. Díselas al profesor y practícalas con él.

4 **a)** Señala las formas del presente de subjuntivo que hay en el diálogo y di cuál es el infinitivo que corresponde a cada una de ellas.

b) En parejas. ¿Recordáis cómo se conjuga ese tiempo verbal? Pensad en el presente de subjuntivo de estos verbos y comprobad con el profesor si los habéis conjugado correctamente.

quedar   comer   ir   hacer   querer   preferir   poder   decir

c) Piensa en el presente de subjuntivo de otros tres verbos que te parezcan difíciles y comprueba si tu compañero los conjuga correctamente.

FÍJATE

Para ceder la elección al interlocutor:

– ¿Qué hacemos?
* Lo que **quiera(s)**.

– ¿Qué película vemos?
* La que **prefiera(s)**.

Con preposición:	– ¿Cuándo nos vemos?
– ¿A qué hora nos vemos?	* Cuando te / le **vaya** bien.
* A la que te **vaya** bien.	
– ¿En qué coche vamos?	– ¿Cómo vamos?
* En el que **prefiera(s)**.	* Como **quiera(s)**.
– ¿Con quién vamos?	– ¿Nos vemos hoy o mañana?
* Con quien **quiera(s)**.	* Cuando **quiera(s)**.
	* Como **quiera(s)**.

5 Observa el cuadro de la derecha. Luego practica el diálogo de la actividad 3a) con un compañero. Le puedes invitar a otros espectáculos.

6 **a)** Escucha esta conversación telefónica entre una colombiana y un español. Señala de qué actividades hablan y di cuál eligen al final.

b) Vuelve a escuchar la conversación y completa el cuadro.

¿Para cuándo quedan?	
¿Cómo quedan?	
¿Qué condición pone el amigo español?	

7 **a)** Escribe los nombres de varios espectáculos que haya ahora en tu ciudad y cuándo te gustaría asistir a ellos. Consulta un periódico si es preciso.

b) Elige uno de esos espectáculos y pregunta a tus compañeros hasta que encuentres a uno que quiera acompañarte; luego, queda con él.

8 **a)** Haz este test sobre la historia del cine y su situación actual. Es posible que no conozcas algunas respuestas; en esos casos, selecciona la opción que te parezca más adecuada.

LA HISTORIA DEL CINE

1. ¿En qué década nació el cine sonoro?
   A. En los años veinte.
   B. En la última década del siglo XIX.
   C. En los años treinta.

2. ¿En qué década se empezó a rodar masivamente películas en color?
   A. En los años treinta.
   B. En los cuarenta.
   C. En los sesenta.

3. ¿En qué país se inventaron los dibujos animados con sonido incluido?
   A. En Inglaterra.
   B. En Rusia.
   C. En Estados Unidos.

4. La película más larga de todas dura...:
   A. 37 horas.
   B. 43 horas.
   C. 85 horas.

5. ¿Quién creó Hollywood?
   A. Las compañías cinematográficas que tenían el monopolio de la producción de películas.
   B. Las compañías no autorizadas por la ley a producir películas.
   C. Un numeroso grupo de actores y actrices.

6. ¿Cuál es el país que produce actualmente más películas?
   A. La India.
   B. Estados Unidos.
   C. Francia.

7. ¿Cuál crees que ha sido el personaje más interpretado en la historia del cine?
   A. Don Quijote de la Mancha.
   B. Cristóbal Colón.
   C. Sherlock Holmes.

8. Muchas escenas son rodadas varias veces hasta llegar a un resultado satisfactorio. El récord lo tiene una que fue rodada...:
   A. 342 veces.
   B. 242 veces.
   C. 142 veces.

9. Los premios cinematográficos existentes en España —los Oscars españoles— se llaman...:
   A. Picasso.
   B. Goya.
   C. Cervantes.

10. ¿Cuántos cines calculas que hay en España?
    A. Cerca de 2 000.
    B. Unos 1 000.
    C. Más de 2 500.

11. El director de cine español cuyos méritos artísticos han sido más reconocidos mundialmente es...:
    A. Carlos Saura.
    B. Pedro Almodóvar.
    C. Luis Buñuel.

12. ¿En qué país fundó una escuela de cine el escritor Gabriel García Márquez?
    A. En Cuba.
    B. En México.
    C. En Colombia.

b] Ahora lee y comprueba tus respuestas.

Hasta la fecha, el récord de duración de una película es de 85 horas. Lo tiene J.H. Timmis con *La cura del insomnio*.

En 1932 se inventó una cámara que componía las imágenes en color, pero su utilización era muy cara. En cambio, unos 30 años más tarde, la aparición de la película en color permitió a la mayor parte de los directores abandonar el blanco y negro.

En 1928, Walt Disney creó en Hollywood el primer dibujo animado con sonido sincronizado. Era un travieso ratón que hablaba y se llamaba Mickey Mouse.

Los estudios de Hollywood fueron construidos por decisión de las compañías que no tenían licencia de producción cinematográfica. Su ubicación hacía posible huir de la justicia al cercano México.

El cantante de jazz (1927) fue la primera película con sonido propio. Aunque la mayor parte era muda, se podía oír al protagonista en varias ocasiones.

No cabe duda de que Charles Chaplin era un actor y director perfeccionista y exigente: repitió 342 veces la toma en que le da una flor a una señorita en su primera película sonora, *Luces de la ciudad*.

La nación en la que actualmente se ruedan más películas es la India, con una media de más de 700 al año.

Con sus apariciones en más de 200 largometrajes, Sherlock Holmes es el personaje que más aparece en la pantalla.

Con los premios Goya, la Academia de Artes y Ciencias Cinematográficas de España reconoce anualmente los méritos de los trabajos en celuloide realizados en ese país.

El director español más universal y que más ha contribuido a la evolución del séptimo arte es Luis Buñuel. Para él, el cine era el mejor instrumento para describir el mundo de los sueños y las emociones.

El vídeo y la televisión entran en competencia directa con el cine. A pesar de ello, en España quedan unas 1 800 salas de cine.

Muchos cineastas españoles y latinoamericanos se han formado en la Escuela Internacional de Cine y Televisión de San Antonio de los Baños, en Cuba. Ese centro fue creado en 1987 por Gabriel García Márquez.

c] ¿Tienes alguna otra información interesante sobre el cine? Comprueba si tus compañeros la saben.

9 a] Asegúrate de que entiendes estos nombres de géneros cinematográficos.

- un drama
- un melodrama
- una comedia
- una película del Oeste

- una película de | ciencia ficción
- acción
- terror
- suspense
- dibujos animados

b] Piensa a qué género pertenecen algunas películas que hayas visto y pregúntaselo a tu compañero.

¿A qué género pertenece... ?
Es un... / una... / una película de...

10 a] Estos adjetivos los podemos utilizar para describir películas. Averigua el significado de los que no conozcas.

realista	deprimente	conformista
amena	crítica	lenta
apasionante	superficial	divertida
profunda	pesada	emotiva
imaginativa	preciosa	violenta
emocionante	insoportable	sorprendente
seria	original	frívola
tierna	desagradable	entretenida

Y a sabes que...

Para valorar y describir puedes usar *ser* y *estar*:

● ¿Qué tal es / está esa película?
● Es buenísima.
● Está muy bien.

b] Forma alguna pareja de contrarios con esos adjetivos.

c] Selecciona los adjetivos más difíciles de pronunciar y practícalos con tu profesor.

11 a] Escucha y lee el siguiente diálogo en el que dos amigas hablan sobre una película y contesta a las preguntas.

¿Qué piensa una de ellas de la película?
¿Qué tipo de película es?
¿De qué trata?

● ¿Qué tal es esa película?
● Buenísima. Es una comedia muy bien hecha, amena y... ¿cómo te diría yo?... muy tierna. Y los personajes están muy bien interpretados.
● ¿De qué va?
● Bueno, pues trata sobre la amistad. Es una historia de dos antiguas amigas que se encuentran un día por casualidad y descubren que han cambiado mucho y que, en realidad, son dos desconocidas. Entonces es muy curiosa la relación que surge entre ellas... Pero no sé... lo más interesante es la forma de tocar el tema.
● O sea que merece la pena verla.
● Por supuesto. Por eso no te la cuento.

b] ¿Para qué crees que se utilizan estas dos expresiones en el diálogo?

¿Cómo te diría yo?   Pero no sé...

12 a] Vas a escuchar a dos personas hablando sobre la película del cartel, *Solas*, que ha visto una de ellas. ¿Qué te sugiere el título? Responde a las preguntas con un compañero.

¿A qué género pertenece?
¿Qué tema trata?
¿Cómo crees que es el final?

b] Escucha y comprueba tus predicciones.

c] Escucha otra vez y escribe las expresiones que usan para darse tiempo para pensar. Si lo deseas puedes repetirlas.

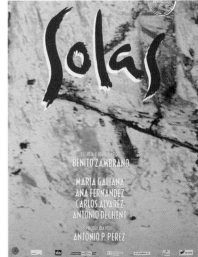

ESTRATEGIAS DE COMUNICACIÓN

13 a] En ciertas situaciones necesitamos tiempo para pensar en lo que vamos a decir. Por esa razón, usamos algunas expresiones que nos permiten darnos tiempo para preparar lo que queremos decir. Otras veces repetimos lo último que hemos dicho o la pregunta que nos han hecho.

¿Cómo te diría yo?

No sé...

Qué sé yo...

Bueno, pues...

La verdad es que...

Entonces...

Esto... / Este...

b] ¿Recuerdas qué se dice en estos casos en tu lengua? Comprueba con el profesor si existen equivalentes en español.

c] En grupos de cuatro. Sugerid un tema de conversación a cada uno de vuestros compañeros, sobre el que tiene que hablar durante dos minutos. Puede utilizar las expresiones de a) cuanto quiera, pero no puede usarlas más de dos veces seguidas.

Yo pienso que... y... ¿cómo te diría yo?... La verdad es que...

14 En grupos de cuatro. Describe una película que has visto y expresa tu opinión sobre ella, pero no menciones su título ni ningún nombre propio. Tus compañeros intentarán adivinar de cuál se trata. No te olvides de utilizar las expresiones que necesites para darte tiempo.

Pues es una película de aventuras muy emocionante. Cuenta la historia de...

15 a) Queda con un compañero para ver juntos una película de la cartelera o de la televisión (puede ser en otra lengua diferente al español).

b) ¿Qué opináis de la película? ¿Estáis de acuerdo? Comentadlo.

c) Elaborad una ficha resumen con la información básica y vuestra opinión y ponedla en un lugar donde vuestros compañeros puedan consultarla.

Título:	
Vista por:	
Director y protagonistas:	
Género:	
Resumen (sin el final):	
Valoración:	
Otros comentarios:	

RECUERDA

Comunicación

Concertar citas
- ¿Quedamos esta noche?
- ¿Te va bien que quedemos a las ocho?

Gramática

Presente de subjuntivo
(Ver resumen gramatical, apartado 1.4)

Comunicación

Ceder la elección al interlocutor
- ☐ ¿Y qué podemos hacer?
- ○ Lo que quieras.
- ☐ ¿Cuál de las dos películas podemos ver?
- ○ La que prefieras tú.
- ☐ ¿A qué sesión vamos?
- ○ A la que te vaya mejor.
- ☐ ¿Cómo / Cuándo / Adónde vamos?
- ○ Como / Cuando / Adonde quieras.

Gramática

Lo + que + presente de subjuntivo (de querer /desear /preferir/...)
Artículo determinado + que + presente de subjuntivo
Preposición + artículo determinado + que + presente de subjuntivo
Como/Cuando/Adonde + presente de subjuntivo
(Ver resumen gramatical, apartado 24).

Comunicación

Poner condiciones para hacer algo
- La única condición que pongo es que vayamos al Buñuel.

Gramática

La única condición que pongo es que + presente de subjuntivo

Comunicación

Valorar y describir una película
- ☐ ¿Qué tal es/está esa película?
- ○ Es buenísima.
- ○ Está muy bien.
- ○ Es una comedia bastante realista y muy entretenida.

Gramática

Ser - estar: valoraciones
(Ver resumen gramatical, apartado 25.1)

Comunicación

Hablar del tema y del argumento de una película
- ☐ ¿De qué trata/va?
- ○ Trata/Va sobre la amistad que mantienen un chico y una chica.

RAÍCES DE LA SALSA

1 Si hablamos de actividades de tiempo libre y pensamos en Latinoamérica es muy probable que nos acordemos de la música y, más concretamente, de la salsa. Seguro que has escuchado y bailado en alguna ocasión al ritmo de una canción de salsa, pero ¿te has hecho alguna vez estas preguntas?

¿Por qué llamamos salsa a esa música? ¿Tiene alguna relación con la comida?
¿De dónde procede ese tipo de música?
¿Dónde se crea actualmente?

a] Coméntalo con tus compañeros.

b] Lee el texto y comprueba tus respuestas.

EL ORIGEN DE LA SALSA

Parece que todos coinciden en situar el nacimiento de la salsa en la década de los sesenta, en Nueva York, de la mano de músicos puertorriqueños fundamentalmente. Sin embargo, sus propios creadores reconocen que "salsa" es solo el nombre comercial para referirse a músicas elaboradas y difundidas durante décadas desde Cuba. También se menciona la influencia de ciertos compositores e intérpretes de son cubano que en los años anteriores habían reinado en el mercado de la música bailable latinoamericana, como Beny Moré, por citar a uno de ellos.

El término "salsa", fácil de retener, tenía un atractivo comercial para las compañías discográficas y empezó a ser utilizado para denominar determinados ritmos originados en Cuba. Además, facilitaba la identificación de estos incluso por oídos no muy entendidos.

Con el paso del tiempo, la salsa se enriqueció con ritmos y aportaciones del Caribe y otras zonas de América Latina: Puerto Rico, República Dominicana, Panamá, Colombia, etc. De esa manera se ha llegado a una verdadera salsa caribeña en la que se produce la fusión y la mezcla, constituyendo un fenómeno musical con fisonomía propia.

Fuente: *La Frontera* (*Tribuna Hispana*)

c] Comenta estas cuestiones con tus compañeros.

¿Te gusta la salsa?
¿Recuerdas el nombre de algún intérprete o el título de alguna canción de ese estilo musical?
¿Conoces otros tipos de música hispana? ¿Te gustan?

Latina

2 a] Lee esta canción incompleta y pregúntale al profesor qué significa lo que no entiendas.

JUAN PACHANGA

Son las cinco de la mañana y ya _____.
Juan Pachanga _____ vestido aparece.
Todos en el barrio están _____
y Juan Pachanga en silencio va pensando
que aunque su vida es fiesta y ron, noche y rumba,
su plante* es falso, igual que aquel amor que lo engañó.
Y la luz del sol se ve alumbrando
y Juan Pachanga, el manito, va penando.

Vestido a la última moda y perfumado,
con zapatos de colores bien lustrados,
los que encuentra en su camino lo saludan.
"¡Qué feliz es Juan Pachanga!", todos juran.
Pero lleva en el alma el _____ de una traición
que solo calman los tragos, los tabacos y el tambor.
Y mientras la gente duerme,
aparece Juan Pachanga con su pena, y _____.

Óyeme, Juan Pachanga, olvídala.
_____ con la pena.
No, no, no, no, no te quiere la morena.
Mira que está _____
y de amor, amor te estás muriendo.
Que olvídala, que olvídala, que olvídala.
¡Ay!, despierta y bótala
porque nunca te ha querido.
Dale también olvido,
deja el plante* y la _____,
que el amor no se mendiga.

*plante: apariencia

RUBÉN BLADES

b] Asegúrate de que entiendes estos pares de palabras:

trabajando - descansando   bien - mal
amanece - anochece   amaneciendo - anocheciendo
verdad - mentira   dolor - placer

c] Utiliza la palabra adecuada de cada par del apartado anterior para completar la canción (una de las palabras se repite varias veces).

d] Escucha y comprueba.

e] Piensa en las respuestas a estas preguntas y luego coméntalas con la clase.

- ¿De dónde viene Juan Pachanga?
- ¿Qué aspecto tiene?
- ¿Qué piensa la gente de él?
- ¿Cómo se siente realmente? ¿Por qué?
- ¿Qué harías tú en su lugar?

12

Interculturalidad

OBJETIVOS

- Describir gestos
- Describir costumbres y comportamientos
- Hablar de normas sociales
- Opinar sobre costumbres y comportamientos
- Expresar gustos
- Expresar sorpresa

GESTOS

1 a] Fíjate en estas formas de expresar "no" y "ven" en diferentes partes del mundo.

1.
Significado:
No.
Utilizado en:
Grecia.

2.
Significado:
No.
Utilizado en:
Japón.

3.
Significado:
Ven.
Utilizado en:
Muchos países del
centro y el norte
de Europa.

4.
Significado:
Ven.
Utilizado en:
Portugal,
Latinoamérica,
España, Italia,
Túnez, Grecia
y Turquía.

b] Ahora mira estos gestos, que tienen distintos significados según los países.

5.
Significado:
No.
Utilizado en:
Muchos países
árabes y en algunas
zonas del
Mediterráneo.

6.
Significado: Sí.
Utilizado en:
Etiopía.

7.
Significado:
Borracho.
Utilizado en:
Francia.

8.
Significado:
No importa.
Utilizado en:
África
oriental.

Fuente: *El Correo de la UNESCO*

c] Lee las descripciones de los gestos de a) y b) y relaciónalas con las imágenes. (Recuerda que alguna descripción corresponde a dos imágenes.)

A. Se levantan y se bajan las cejas rápidamente una sola vez.

B. Se mueve y se dobla varias veces la mano hacia arriba, con la palma hacia arriba.

C. Se mueve con rapidez la cabeza hacia arriba y hacia atrás al mismo tiempo.

D. Se rodea la nariz con los dedos pulgar e índice, y la mano hace un movimiento circular.

E. Se mueve y se dobla repetidas veces la mano hacia abajo, con la palma hacia abajo.

F. La mano derecha, abierta y con la palma dirigida hacia la izquierda, se mueve de lado a lado frente a la cara.

A-1, B-..., C-..., D-..., E-..., F-...

d] Lee las frases de c) de nuevo y fíjate en el contexto para tratar de descubrir el significado de las palabras que no conozcas. Luego puedes usar el diccionario para comprobar si lo has hecho correctamente.

2 ¿También se expresan con gestos esos significados en tu país? ¿Con cuáles? Explícaselo a tus compañeros.

Para expresar "sí" (se mueve la cabeza así...).
Para expresar "no importa" (se mueve la mano así y se hace este gesto con la cara).

3 **a]** ¿Sabes qué significan los gestos de estos dibujos en España o en Latinoamérica? Empareja cada uno con una de estas frases.

1. Más o menos.
2. Estoy harto.
3. Sí.
4. ¡Se me ha olvidado!
5. No lo sé.
6. ¡Qué cara (tienes)!
7. No.
8. ¡Corta el rollo!
9. ¡Estás loco/a.

b] Piensa en algún gesto utilizado en España o en Latinoamérica que conozcas y que creas que no conocen tus compañeros. Enséñaselo y explícales cuándo y cómo se usa.

c] Elige un gesto que haces a menudo cuando hablas tu lengua. ¿Significa lo mismo en España o en Latinoamérica que en tu país? ¿Se utiliza en situaciones similares? Díselo a tus compañeros.

ESTRATEGIAS DE COMUNICACIÓN

4 **a]** ¿Qué haces cuando quieres expresar algo y no conoces o no recuerdas una palabra o expresión que necesitas? Coméntaselo a la clase.

Doy una definición de la palabra.

b] En ese mismo caso también se puede recurrir a los gestos y la mímica. En parejas, imaginad una situación en la que se podrían emplear algunos gestos. Luego, cread un diálogo para esta situación y tratad de memorizarlo.

c] Ahora representad la situación ante vuestros compañeros. Ellos tienen que fijarse en qué gestos habéis hecho y qué significa cada uno.

COSTUMBRES Y COMPORTAMIENTOS

5 Lee este texto y di si estás de acuerdo con lo expresado en él. Para responder puedes pensar en tu experiencia como estudiante de español y referirte a cosas que te hayan ocurrido.

Lengua y cultura

Al aprender una lengua descubrimos información cultural sobre la sociedad en la que se habla. Parte de esa información se refiere a las costumbres y comportamientos de sus miembros, y no siempre coinciden con los nuestros. En realidad, comprobamos que existen diversas formas de interpretar y hacer las cosas. Si somos sensibles a las diferencias, será más fácil entender y aceptar esas costumbres y esos comportamientos, y también resultará más fácil que nos entiendan y nos acepten a nosotros.

6 a] Vas a leer un fragmento de la novela *La tesis de Nancy*. Nancy es una chica estadounidense que está haciendo su tesis en España. En este fragmento se describe cómo reaccionó después de escuchar un discurso.

Estas palabras van a aparecer en el texto; asegúrate de que las entiendes.

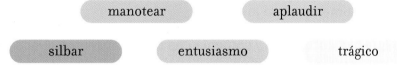

manotear   aplaudir

silbar   entusiasmo   trágico

¿Crees que a Nancy le gustó el discurso?

b] Ahora lee el texto y comprueba tus predicciones.

Ayer me sucedió algo de veras trágico. Había un acto oficial en nuestra Universidad, bajo la presidencia del mismo rector, un hombre poco atlético, la verdad, cuyo discurso iba a ser la parte fuerte del programa. Habló muy bien, aunque manoteando demasiado para mi gusto, y luego todo el mundo se puso de pie y aplaudió. Como yo quería demostrar mi entusiasmo a la manera americana, me puse dos dedos en la boca y di dos o tres silbidos con toda mi fuerza. No puedes imaginar lo que sucedió. Todos callaron y se volvieron a mirarme. Yo vi en aquel momento que toda aquella gente era enemiga mía. Había un gran silencio y se podía oír volar una mosca. Luego se acercaron dos profesores y tomaron nota de mis papeles de identidad. Mistress Dawson estaba conmigo y se portó bien, lo reconozco. Explicó que en América silbamos para dar a nuestros aplausos más énfasis.

RAMÓN J. SENDER: *La tesis de Nancy*.

c] Lee de nuevo el texto y responde a las preguntas.

¿Por qué silbó Nancy?
¿Cómo reaccionó el público cuando oyó los silbidos?
¿Cuál crees tú que fue la verdadera causa de esa situación conflictiva?

7 **a]** Lee y responde a este cuestionario.

1. ¿Cómo saludas a un amigo o a una amiga a quien no has visto en los últimos días?
2. ¿Cómo saludas a un hombre cuando te lo presentan? ¿Y a una mujer?
3. Cuando llegas a un país cuyos horarios son diferentes a los tuyos, ¿te adaptas a ellos?
4. ¿Llegas puntualmente a las citas?
5. Cuando alguien te invita a comer en su casa, ¿le llevas algún regalo?
6. ¿Cómo te sientes y qué piensas cuando estás comiendo en casa de alguien que te ofrece mucha comida o insiste en que comas más?
7. ¿Qué haces cuando recibes un regalo que no te gusta nada?
8. ¿Cómo te sientes y qué piensas cuando estás hablando con alguien que no conoces mucho y te toca (por ejemplo, el brazo)?
9. ¿Qué haces o dices cuando algún conocido con el que no tienes mucha confianza te invita a hacer algo (por ejemplo, ir al cine) y no quieres aceptar la invitación?

b] Compara tus respuestas con las de un compañero para comprobar si hay muchas que no coinciden. Después, comentádselo a la clase.

c] **Escucha a un mexicano comentando algunos aspectos culturales del cuestionario con una amiga española** y toma notas de lo que dice.

d] Piensa en lo que has escuchado y comenta con tus compañeros si has encontrado diferencias importantes con respecto a tu cultura.

8 **a]** Lee lo que dicen algunos estudiantes sobre algunas costumbres y comportamientos de los españoles.

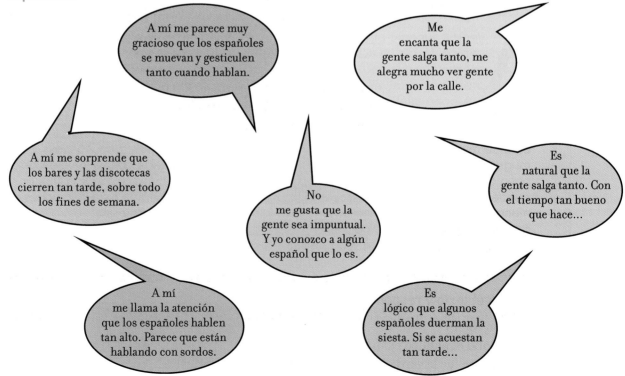

b] Di cuáles de las frases anteriores han sido utilizadas para expresar:

Gustos.
Sorpresa o extrañeza.
Valoraciones de acciones.

c] En parejas. Leed las frases de nuevo y fijaos en los tiempos verbales que contienen. ¿Qué podéis decir? Intentad formular la regla.

d] Y tú, ¿qué opinas sobre lo que dicen esos estudiantes?

● *A mí también me parece gracioso que los españoles gesticulen tanto cuando hablan.*
● *Pues a mí no me gusta que...*

9 **a]** Escucha a una argentina de visita en España comentando con un amigo español sus impresiones sobre el país. ¿Cuáles de los aspectos del recuadro menciona?

Comidas
Horarios
Rasgos físicos
Carácter
Tiempo libre
Clima

b] Vuelve a escuchar y presta atención a lo siguiente:

Lo que más le llama la atención.
Lo que le resulta curioso o interesante.
Lo que le gusta o no le gusta.

10 En grupos de cuatro. Habla con tus compañeros sobre las costumbres españolas o de algún país latinoamericano que conozcas y diles cuáles...

– ... te gustan
– ... te llaman la atención
– ... te parecen interesantes, curiosas, etc.

● *Lo que más me llama la atención de Madrid es que cuando pides una bebida en un bar te ponen un pincho gratis.*
● *Pues a mí me llama la atención que la gente hable tan alto y con tanta energía. Parece que están discutiendo.*

¿Con qué compañeros coincides más en tus comentarios?

Para terminar...

11 Cuando hablas español, ¿haces o dices cosas que no haces o no dices cuando hablas tu lengua? Coméntaselo a tus compañeros.

Desde que estoy en España ceno a las nueve y media de la noche; en mi país se cena mucho antes.
En español digo menos veces "por favor" que en mi lengua.
Cuando hablo español, gesticulo más.

12 a) Responde a esta pregunta y habla con tus compañeros:

¿**Qué costumbres y comportamientos** propios de tu país crees que son más peculiares?
Ten en cuenta, entre otros, los siguientes aspectos:

Las tiendas están cerradas a la hora del almuerzo o la comida.

No está bien vist[o] mirar a los ojos de [la] persona con la qu[e] hablas.

La comida más fuerte es la cena.

La impuntualidad está muy mal vista.

MANUAL DE COSTUMBRES Y NORMAS SOCIALES

El carácter de la gente

Las costumbres

Las comidas

Las normas/ convenciones sociales

El clima

La actitud ante el trabajo

El tiempo libre

b] Señala cuáles de estas costumbres y normas sociales se pueden aplicar a tu país:

Es de mala educación interrumpir a quien está hablando.

s fines de semana muchos bares y discotecas manecen abiertos hasta el amanecer.

Besarse en público no está socialmente aceptado.

los lugares públicos suele ceder el asiento las personas mayores.

El valor de la propina que se da es un porcentaje fijo del precio del servicio recibido.

c] En parejas, elaborad una lista de costumbres y normas sociales de vuestro país.

d] Leed las listas de los demás compañeros y elegid la menos parecida a la vuestra.

e] Diles a tus compañeros qué informaciones de las listas que has leído te parecen más curiosas o interesantes y por qué.

f] Piensa en la lista que has hecho en c). ¿Qué costumbres y normas sociales crees que pueden llamar más la atención a una persona de otro país? ¿Y cuáles pueden parecerle más interesantes? Compruébalo con tus compañeros.

RECUERDA

Comunicación

Describir gestos
- Para expresar "no" se mueve la cabeza así...
- Para expresar "hay mucha gente", se ponen los dedos así...

Gramática

Se impersonal
(Ver resumen gramatical, apartado 20.1)

Comunicación

Describir costumbres y comportamientos
- En mi país se cena / suele cenar sobre las ocho.
- Cuando te invita un amigo a comer en su casa le llevas un regalo.

Gramática

Tú impersonal
(Ver resumen gramatical, apartado 20.4)

Comunicación

Hablar de normas sociales
- Es de mala educación preguntar cuánto gana a alguien con quien no tienes mucha confianza.
- No está bien visto llegar tarde a una cita.

Gramática

Ser-estar:
Es de mala educación
No está bien visto + infinitivo
Sustantivo + está (muy) mal visto/a
(Ver resumen gramatical, apartado 25.2)

Comunicación

Opinar sobre costumbres y comportamientos
- Es lógico que la gente salga tanto. Con el tiempo tan bueno que hace...

Gramática

Es lógico/natural... + que + subjuntivo
(Ver resumen gramatical, apartado 26)

Comunicación

Expresar gustos
- A mí me encanta que las discotecas cierren tarde.

Gramática

Me gusta/encanta + que + subjuntivo
(Ver resumen gramatical, apartado 27)

Comunicación

Expresar sorpresa
- A mí me sorprende que las tiendas cierren a la hora del almuerzo.

Gramática

Me sorprende + que + subjuntivo
(Ver resumen gramatical, apartado 12.3.3)

MAFALDA

1 ¿Conoces a Mafalda? ¿Has leído alguna vez tiras cómicas en las que aparece? ¿Sabes algo de ella? Díselo a tus compañeros.

2 a] Lee esta tira de Mafalda. ¿La entiendes? ¿Te ha gustado?

b] Como vimos en la lección 11, a veces, cuando hablamos, utilizamos algunas palabras o expresiones que nos permiten darnos tiempo para preparar lo que queremos decir. ¿Cuáles ha utilizado la mamá de Mafalda?

3 a] Ahora vas a participar tú en la elaboración de otra tira. Aquí tienes las viñetas desordenadas. ¿Puedes ordenarlas?

A

B

C

D

b] Compara con tu compañero. ¿Estáis de acuerdo?

c] ¿Ya te vas haciendo una idea sobre esta niña? ¿Qué adjetivos utilizarías para describir su carácter?

Latina

4 a) La revista argentina *Confirmado* publicó una vez una entrevista a Mafalda (las respuestas fueron firmadas por ella). En la columna de la izquierda están algunas de las preguntas de aquella entrevista. A la derecha encontrarás, desordenadas, sus respuestas. Intenta relacionar cada una de ellas con la pregunta correspondiente.

1. ¿Qué hacen tus papás?

2. ¿Qué aprendés en la escuela?

3. ¿Te gustan los cuentos de hadas?

4. ¿Cómo elegís a tus amigos?

5. ¿En qué creés, entonces?

6. A mucha gente le parecés atrevida e insolente...

A. En mi generación.

B. Mi papá trabaja en una oficina. Mi mamá es ama de casa. Hoy en día cuesta ser original.

C. A leer, escribir y otras cosas. Algunas parece que después no son muy como son, pero es bueno aprender todo.

D. No sé. Si hay un método, debe ser parecido al que usa un pajarito para elegir el árbol que le gusta más.

E. Esos son términos de gente vieja resentida. Porque también está la gente vieja macanuda, que entiende lo que está pasando en el mundo.

F. Son entretenidos, pero lo que no me gusta es que siempre el protagonista es muy pobre y soluciona su problema casándose con alguien de palacio, y chau. Eso estaría muy bien en la época en que había menos pobres y más palacios, pero hoy...

b) Lee la entrevista de nuevo y señala las palabras que se utilizan en Argentina pero no en todos los países de habla hispana.

5 a) Lee este texto con las opiniones de Umberto Eco sobre Mafalda. Puedes utilizar el diccionario.

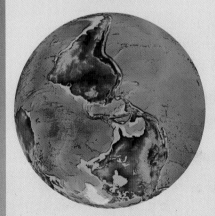

Mafalda y su mundo

Mafalda rechaza el mundo tal como es. Pertenece a un país de contrastes sociales, que a pesar de todo desearía integrarla y hacerla feliz, pero ella se niega y rechaza todas las ofertas. Vive en un continuo diálogo con el mundo adulto, mundo al cual no estima, no respeta, humilla y rechaza, reivindicando su derecho a seguir siendo una niña que no quiere hacerse cargo de un universo adulterado por los padres.

En materia política, Mafalda tiene ideas muy confusas. Solo sabe una cosa claramente: no está conforme.

El universo de Mafalda es el de una América Latina en sus zonas metropolitanas más adelantadas, pero es en general, desde muchos puntos de vista, un universo latino.

UMBERTO ECO (adaptado)

b) ¿Verdadero o falso? Lee otra vez el texto y señálalo.

	v	f
Mafalda quiere integrarse en la sociedad.		
No le gusta el mundo de los mayores.		
Sus ideas políticas están claramente definidas.		
Mafalda vive en un ambiente latinoamericano urbano.		

juego de vocabulario

1 **a)** Busca en las lecciones 9 a 12 y haz una lista de seis palabras o expresiones que te parezcan útiles y difíciles que quieras recordar.

....

....

....

....

....

....

....

....

b) Muéstraselas a tu compañero y explícale las que no entienda. Comparad las dos listas y elegid las seis palabras o expresiones que consideréis más útiles.

c) Dos parejas. Por turnos, una pareja dice una de esas palabras o expresiones y la otra tiene que imaginar y representar un pequeño diálogo incluyéndola. Si no lo hace correctamente, la primera pareja obtiene un punto. Gana la pareja que consiga más puntos.

2 **a)** Asegúrate de que entiendes estas frases.

A. ¿Dónde pasa sus vacaciones?

B. ¿Suele necesitar a los demás para ocupar su tiempo libre?

C. La sensación de no tener mucha gente a su alrededor le produce...

D. El ruido de la ciudad, la oferta de servicios, el movimiento de personas...

E. Imaginemos que un día está usted en el campo, nieva mucho y no puede volver a la ciudad, que es lo que había planeado. ¿Cómo reaccionaría?

G. ¿Qué prefiere usted: encender la chimenea o apretar un botón para encender la calefacción?

F. ¿Qué le produce el silencio, la falta de ruido?

b) Lee este cuestionario (puedes usar el diccionario). Luego, complétalo con las frases del apartado a) y señala tus respuestas.

¿Es usted rural o urbano?

1. ....

1) Con preocupación por mis obligaciones, y probablemente tomaría la decisión de no viajar en fechas arriesgadas desde un punto de vista climatológico.

2) Telefonearía a mis familiares y a mi trabajo, y me quedaría calentito/a viendo nevar y disfrutando del día.

3) Decidiría ir a ese lugar sólo en verano.

2. ....

1) Soledad, desprotección, aislamiento.

2) Depende de cuáles sean las personas que estén más cerca de mí.

3) Tranquilidad, intimidad.

3. ....

1) No, al contrario.

2) Sí, la verdad es que siempre necesito a alguien o lo busco.

3) No siempre.

4. ....

1) Claramente, apretar el botón de la calefacción.

2) Para mí no hay nada comparable a un buen fuego.

3) Depende del tiempo, de las ganas que tenga de trabajar y limpiar, de la compañía...

5. ....

1) Me pone nervioso/a, me genera tensiones, no me gusta.

2) Me da vida.

3) Lo soporto más o menos bien, depende de las circunstancias.

6. ....

1) Nada, no me afecta.

2) Tranquilidad.

3) Extrañeza, soledad.

7. ....

1) Fuera de mi residencia y en un lugar poco poblado.

2) Más o menos en un medio parecido al del resto del año.

3) En una zona típica de vacaciones, donde hay amigos y muchos veraneantes.

FUENTE: *El País*

c) Dile al profesor que te dé las claves para hacer la valoración de tus respuestas.

d) ¿Estás de acuerdo con los resultados que has obtenido? Díselo a tus compañeros.

3 **a)** Elige una ciudad de tu país que tenga aspectos muy positivos y otros negativos. Escribe un texto sobre ella en el que:

– La describas y expreses tu opinión sobre ella.

– Menciones lo que más y lo que menos te gusta de ella; explica por qué.

b) Intercámbialo con un compañero y explícale si estás o no de acuerdo con todo lo que ha escrito él.

c) Comentad las medidas que tomaríais para solucionar los problemas citados en los dos textos.

Repaso

RECONSTRUCCIÓN DE UNA ANÉCDOTA EN GRUPOS

4 a) En cinco grupos (A, B, C, D, E). El profesor va a entregar a cada grupo un texto en el que se narra un fragmento de una anécdota. Leedlo, aseguraos de que entendéis todo y de que podéis contarlo sin leerla.

b) Formad nuevos grupos de cinco alumnos, cada uno de ellos procedente de un grupo distinto (A, B, C, D, E). Contad cada uno lo que habéis leído y decidid, entre todos, cuál es el orden de las distintas partes de la anécdota.

c) Leed la anécdota completa y comprobad si la habéis ordenado correctamente.

5 a) Vuelve a leer la anécdota de la actividad anterior y cambia dos informaciones.

b) Cuéntasela a un compañero para ver si descubre los dos cambios que has hecho.

Recuerdo perfectamente...

6 a) Elige un suceso, una anécdota o una broma de las que aparecen en la lección 10 y escribe algunas palabras clave para contarla.

b) Pásaselas a tu compañero para ver si recuerda esa historia y si es capaz de contarla. Si lo consideras necesario, puedes hacerle preguntas, darle pistas o ayudarle.

7 a) En grupos de cuatro. Diles a tus compañeros cuáles son las actividades culturales o de ocio que practicas más y por qué. Luego queda con uno de ellos para realizar una de esas actividades.

b) Buscad a otra pareja para comentar y valorar la actividad que realizasteis y la que realizaron ellos.

8 *a)* Escucha a dos estudiantes latinoamericanos, Mario y Rosa, comentando sus impresiones sobre España. ¿A cuáles de las siguientes ilustraciones corresponde la imagen que tenían de España? ¿Y a cuáles la impresión actual?

 b) Escucha de nuevo y completa el cuadro.

	MARIO	ROSA
¿Cuánto tiempo lleva en España?		
¿Qué le resulta curioso o le llama la atención?		
¿Qué es lo que más le gusta?		
¿Y lo que menos?		

9 Piensa en un amigo o amiga (o un conocido) extranjero y en algunas costumbres suyas que tú no tienes. Luego escribe frases expresando tu opinión sobre ellas.

Me parece muy gracioso que mi amiga colombiana Leticia...

10 a) En grupos de cuatro. Juega con una moneda y una ficha de color diferente a la de tus compañeros.

1. Por turnos. Tira la moneda y, si sale cara, avanza dos casillas; si sale cruz, avanza una.
2. Responde a la pregunta o habla del tema de la casilla en la que caigas.

SALIDA	**1** ¿Hablas alguna otra lengua extranjera? ¿La aprendiste como el español?	**2** ¿Crees que has conseguido los objetivos que tenías para este curso?	**3** Algo de la clase de español que te ha encantado.	**4** ¿Cómo te describirías como estudiante de español?	**5** Algo que te ayuda mucho a aprender español.
11 ¿Cómo prefieres que te corrijan? ¿Por qué?	**10** ¿Por qué son importantes la pronunciación y la entonación?	**9** El curso o el año en el que aprendiste más español. Explica por qué.	**8** Cualidades que aprecias en un buen estudiante.	**7** ¿Qué es lo que te parece más difícil del español?	**6** Describe una clase que te haya gustado mucho.
12 Lo que más te ha gustado de este libro.	**13** ¿Has descubierto en este curso alguna estrategia de aprendizaje que no conocías y que aplicas ahora? ¿Cuál?	**14** ¿A qué dedicas más tiempo de estudio: a la gramática o al vocabulario? ¿Por qué?	**15** Algo que te sorprende de la clase de español.	**16** ¿Qué es lo que más necesitas repasar?	**17** Algo que no has hecho nunca en una clase de idiomas y que te gustaría hacer.
23 ¿Qué te parece este juego? ¿Para qué crees que es útil?	**22** ¿Qué es lo que mejor se te da del español?	**21** Algo de la clase de español que crees que se puede mejorar.	**20** ¿Te parecen difíciles la pronunciación y la entonación en español?	**19** Lo que más te ha gustado de este curso. ¿Y lo que menos?	**18** La forma ideal de aprender una lengua.
24 Algo de la clase de español que te parece interesante.	**25** Cualidades que aprecias en un buen profesor.	**26** ¿Qué haces para mejorar la pronunciación, el acento y la entonación?	**27** Algo que hacen los buenos estudiantes y que tú no haces. ¿Por qué no lo haces?	**28** Tus planes y algún deseo para el próximo curso.	**LLEGADA**

b) ¿Han dicho tus compañeros algo que te parece interesante? ¿Han mencionado algunas estrategias de aprendizaje que tú no aplicas y que te parecen útiles? Anótalas.

c) Trabaja con un compañero con el que no hayas trabajado en a). Comparad las ideas que hayáis anotado y comentadlas.

Recursos para aprender más

Una salida para celebrar el final del curso

11 a) ¿Te apetece celebrar el final del curso? Mira las siguientes propuestas:

¿Cómo llegar?

El Centro se encuentra enclavado en la vertiente septentrional de la Sierra de Guadarrama, cerca del pueblo de Valsaín, término municipal de San Ildefonso-La Granja (Segovia).

La distancia del CENEAN a algunos de los centros urbanos más importantes de los alrededores es:

La Granja: 3 km.   Segovia: 13 km.
Madrid: 70 km. (por el puerto de Navacerrada).

En grupos de cuatro. Decidid lo siguiente:

El día y la hora a la que va a salir toda la clase.
La actividad que os gustaría realizar (un espectáculo, una cena, bailar, una visita, etc.)
Dónde os gustaría realizarla.
Cuánto dinero va a costar.
Si vais a invitar a alguien.

b) Hablad con vuestros compañeros y elegid la propuesta más interesante.

c) No olvidéis hablar español en esa salida para practicar y comprobar lo que habéis aprendido durante el curso.

resumen gramatical

1 | Verbos

1.1.1. Verbos regulares.

-AR	-ER/-IR		
hablar	volver/salir		
habl-	-é -aste -ó -amos -asteis -aron	volv- sal-	-í -iste -ió -imos -isteis -ieron

1.1.2. Verbos irregulares.

1.1.2.1. *Ser* e *ir*:

fui
fuiste
fue
fuimos
fuisteis
fueron

1.1.2.2. Verbos de uso frecuente con raíz y terminaciones irregulares.

infinitivo	raíz	terminaciones
tener estar poder poner saber andar hacer querer venir	**tuv-** **estuv-** **pud-** **pus-** **sup-** **anduv-** **hic/hiz-** **quis-** **vin-**	-e -iste -o -imos -isteis -ieron

infinitivo	raíz	terminaciones
decir traer	**dij-** **traj-**	e iste o imos isteis eron

Otros verbos de uso frecuente pertenecientes a este último grupo: *atraer, distraer, conducir, traducir, deducir.*

1.1.2.3. *o → u* en la tercera persona.

dormir	morir
dormí	morí
dormiste	moriste
d**u**rmió	m**u**rió
dormimos	morimos
dormisteis	moristeis
d**u**rmieron	m**u**rieron

1.1.2.4. *e → i* en la 3ª persona de los verbos en e...ir (excepto *decir*).

pedir	
	pedí
	pediste
	p**i**dió
	pedimos
	pedisteis
	p**i**dieron

Otros verbos de uso frecuente con esta irregularidad: *repetir, servir, seguir, sentir(se), divertirse, preferir, elegir.*

1.1.2.5. *y* en la 3ª persona de la mayoría de los verbos terminados en vocal + er/ir.

leer	oír
leí	oí
leíste	oíste
le**y**ó	o**y**ó
leímos	oímos
leísteis	oísteis
le**y**eron	o**y**eron

Otros verbos de uso frecuente con esta irregularidad: *creer, influir, construir, destruir, huir.*

1.1.2.6. *Dar*:

di
diste
dio
dimos
disteis
dieron

1.2.1. Verbos regulares.

hablar	hacer	vivir
hablaba	hacía	vivía
hablabas	hacías	vivías
hablaba	hacía	vivía
hablábamos	hacíamos	vivíamos
hablabais	hacíais	vivíais
hablaban	hacían	vivían

1.2.2. Verbos irregulares.

ser	ir	ver
era	iba	veía
eras	ibas	veías
era	iba	veía
éramos	íbamos	veíamos
erais	ibais	veíais
eran	iban	veían

Imperfecto de **haber** + participio	
había habías había habíamos habíais habían	llegado conocido venido escrito ...

1.4. PRESENTE DE SUBJUNTIVO

1.4.1. Verbos regulares.

-AR	-ER	-IR
hablar	comer	escribir
hable	coma	escriba
hables	comas	escribas
hable	coma	escriba
hablemos	comamos	escribamos
habléis	comáis	escribáis
hablen	coman	escriban

1.4.2. Verbos irregulares.
1.4.2.1. Irregularidades vocálicas.
1.4.2.1.1. Alteraciones que afectan a las tres personas del singular y a la tercera del plural.

e → ie	o → ue	u → ue
querer	poder	jugar
quiera	pueda	juegue
quieras	puedas	juegues
quiera	pueda	juegue
queramos	podamos	juguemos
queráis	podáis	juguéis
quieran	puedan	jueguen

1.4.2.1.2. Alteraciones que afectan a todas las personas (singular y plural).

e → i	y (verbos en -uir)
pedir	influir
pida	influya
pidas	influyas
pida	influya
pidamos	influyamos
pidáis	influyáis
pidan	influyan

1.4.2.1.3. i en la primera y segunda personas del plural de los verbos en -e...ir que diptongan (e → ie).

sentir	preferir	mentir
sienta	prefiera	mienta
sientas	prefieras	mientas
sienta	prefiera	mienta
sintamos	prefiramos	mintamos
sintáis	prefiráis	mintáis
sientan	prefieran	mientan

1.4.2.1.4. u en la primera y segunda personas del plural de los verbos en -o...ir que diptongan (o → ue).

dormir	morir
duerma	muera
duermas	mueras
duerma	muera
durmamos	muramos
durmáis	muráis
duerman	mueran

1.4.2.2. Irregularidades consonánticas y/o vocálicas.

Los verbos con primera persona del singular irregular en presente de indicativo forman todo su presente de subjuntivo a partir de esa irregularidad. Ejemplos:

Presente de indicativo (yo)	Presente de sujuntivo
conozco	conozca, conozcas, conozca, conozcamos, conozcáis, conozcan
hago	haga, hagas, haga, hagamos, hagáis, hagan
tengo	tenga, tengas, tenga, tengamos, tengáis, tengan
salgo	salga, salgas, salga, salgamos, salgáis, salgan
pongo	ponga, pongas, ponga, pongamos, pongáis, pongan
digo	diga, digas, diga, digamos, digáis, digan
quepo	quepa, quepas, quepa, quepamos, quepáis, quepan
veo	vea, veas, vea, veamos, veáis, vean
oigo	oiga, oigas, oiga, oigamos, oigáis, oigan

Pero no sucede eso con el verbo *dar*.

dar
dé
des
dé
demos
deis
den

1.4.2.3. Verbos con irregularidad propia en este tiempo.

haber	ir	ser	saber	estar
haya	vaya	sea	sepa	esté
hayas	vayas	seas	sepas	estés
haya	vaya	sea	sepa	esté
hayamos	vayamos	seamos	sepamos	estemos
hayáis	vayáis	seáis	sepáis	estéis
hayan	vayan	sean	sepan	estén

1.5. IMPERATIVO

1.5.1. Imperativo afirmativo.

descansar	comer	vivir	
descansa	come	vive	(tú)
descanse	coma	viva	(usted)
descansemos	comamos	vivamos	(nosotros-as)
descansad	comed	vivid	(vosotros-as)
descansen	coman	vivan	(ustedes)

Formas irregulares exclusivas del imperativo (2ª persona singular, tú):

hacer........	**haz**
decir........	**di**
ir........	**ve**
ser........	**sé**
venir........	**ven**
poner........	**pon**
salir........	**sal**
tener........	**ten**

– **Haz** más deporte, duerme más y come menos.

1.5.1.1. Cuando combinamos pronombres complemento con formas del imperativo afirmativo, los pronombres van siempre detrás del imperativo, formando una sola palabra.
– **Siéntese** en esta silla y **relájese**.
– **Háganse** revisiones médicas más a menudo.

La forma correspondiente a *vosotros-as* (*acostad*, por ejemplo) pierde la *d* cuando añadimos el pronombre *os*. A veces se usa el infinitivo.
– **Acostaos/Acostaros** e intentad descansar.
– Cerrad los ojos y **relajaos/relajaros**.

1.5.2. Imperativo negativo.

Las formas del imperativo negativo son las mismas que las del presente de subjuntivo.
– **No hagan** ruido, por favor, que hay gente durmiendo.

1.5.2.1. Cuando utilizamos pronombres complemento con formas del imperativo negativo, aquellos van entre el adverbio *no* y la forma del imperativo.
– **No se acueste** tan tarde, que luego duerme muy poco.

1.6. CONDICIONAL SIMPLE

1.6.1. Verbos regulares.

Se forman, como en el futuro simple, añadiendo la terminación propia de cada persona al infinitivo del verbo.

hablar	deber	ir
hablaría	debería	iría
hablarías	deberías	irías
hablaría	debería	iría
hablaríamos	deberíamos	iríamos
hablaríais	deberíais	iríais
hablarían	deberían	irían

1.6.2. Verbos irregulares.

Son los mismos que en el futuro simple, y tienen la misma irregularidad en la raíz.

tener → tendr-	
poder → podr-	
poner → pondr-	- ía
haber → habr-	- ías
saber → sabr-	- ía
caber → cabr-	- íamos
salir → sald-	- íais
venir → vendr-	- ían
hacer → har-	
decir → dir-	
querer → querr-	

2 Hablar del pasado

2.1. PRETÉRITO INDEFINIDO

2.1.1. Para informar de acciones o sucesos pasados ocurridos en una unidad de tiempo terminada.
– Ayer **fui** al cine y **vi** una película buenísima.

2.1.1.1. Podemos expresar una acción que sucedió una sola vez.
– Un día **representamos** una obra de teatro en clase.

2.1.1.2. También podemos expresar una acción que se realizó varias veces y especificar el número de veces.
– El año pasado **fui cinco veces** a México.

2.1.1.3. El indefinido sirve también para especificar la duración de una actividad pasada.
– El viaje **duró** más de tres horas: salimos a las cuatro y llegamos después de las siete.

2.2. PRETÉRITO IMPERFECTO

2.2.1. Para describir cosas, lugares o personas en pasado.
– Antes este pueblo **era** más pequeño y mucho más tranquilo: no **había** tantos coches ni tanto ruido como ahora.

2.2.2. Para expresar acciones habituales en el pasado.
– Cuando vivía en Brasil **iba** muchos días a la playa.

Para referirnos a acciones habituales también podemos emplear el imperfecto de *soler* + infinitivo.
– Cuando era estudiante **solía acostarme** tarde.

2.3. CONTRASTE IMPERFECTO-INDEFINIDO

2.3.1. Describir la situación o las circunstancias en las que se produjeron ciertos hechos pasados.
– Ayer **nos encontramos** a Laura en la calle cuando **volvíamos** a casa.

Imperfecto (**volvíamos**): referencia a las circunstancias, a la situación.
Indefinido (**nos encontramos**): referencia a los hechos o acontecimientos.

• Es frecuente el uso del imperfecto de *estar* + gerundio para referirse a una acción en desarrollo.
– **Estábamos comiendo** cuando **llegaron**.

• En los ejemplos anteriores el imperfecto sirve para expresar una acción que se estaba realizando en cierto momento del pasado; eso significa que la acción había comenzado antes y siguió realizándose después.
– **Estábamos comiendo** cuando **llegaron**.

PASADO
comer

PRESENTE
(llegaron durante la comida)

llegar

2.3.2. Podemos utilizar el indefinido para narrar hechos pasados o referirnos a una sucesión de acciones pasadas: primero tuvo lugar una y, después, otra.
– **Comimos** cuando **llegaron**.

PASADO

PRESENTE
(llegaron antes de la comida)

llegaron   comimos

2.3.3. Para referirnos a una acción inminente que no llegó a realizarse en el momento del que hablamos, podemos utilizar:

Imperfecto de	**ir + a** **querer** **estar a punto de**	+ infinitivo

– Cuando **estaba a punto de salir**, vino Blanca y, entonces, me contó todo.

– **Íbamos a ir** en mi coche, pero a última hora se estropeó y tomamos el tren.

2.4. <u>CONTRASTE PERFECTO-INDEFINIDO</u>

2.4.1. Pretérito perfecto.

2.4.1.1. Para expresar experiencias o actividades pasadas sin especificar el momento de su realización.
– Lorena **ha estado** en Perú, pero yo no.

2.4.1.2. Para hablar de acciones o sucesos pasados situados en una unidad de tiempo no terminada, o que el hablante siente próximos al presente.
– Hoy **me he levantado** muy pronto.

Sin embargo, en estos casos, muchos hispanohablantes utilizan el pretérito indefinido.
– Hoy **me levanté** muy pronto.

2.4.2. Pretérito indefinido.
Para expresar acciones o sucesos pasados ocurridos en una unidad de tiempo terminada.
– La semana pasada **trabajé** muchísimo.

2.5. <u>PRETÉRITO PLUSCUAMPERFECTO</u>

Para expresar una acción pasada, anterior a otra acción (o a una situación) pasada.
– Cuando hablé anoche con Paula estaba muy triste porque ya **se había enterado** de la noticia.

PASADO

pluscuamperfecto (se había enterado)   indefinido (hablé)   PRESENTE

imperfecto (estaba)

Cantidades de tiempo

Para expresar la duración de una acción comenzada en el pasado y que continúa en el presente, podemos utilizar:

3.1. | **Llevar** (presente) + cantidad de tiempo + gerundio |
– ¿Cuánto (tiempo) **llevas estudiando** ruso?
• (**Llevo**) Tres años (**estudiando** ruso).

3.2.

Desde +	fecha/año/mes/...
	hace + cantidad de tiempo
	que + verbo conjugado

– ¿**Desde** cuándo estudias alemán?
• **Desde** el año 2001.
• **Desde** enero.
• **Desde hace** dos años.
• **Desde que** vivo aquí.

3.3. | **Hace** + cantidad de tiempo + **que** + verbo en presente |
– ¿Cuánto (tiempo) **hace que** estudias japonés?
• (**Hace**) Cuatro años (**que** estudio japonés).

Expresar aptitud

Para expresar aptitud o capacidad para hacer algo podemos emplear la expresión *dársele bien/mal/... algo a alguien.*

(A mí)	sustantivo singular	se	me	da bien/mal/regular/fatal
(A ti)			te	
(A él/ella/usted)			le	
(A nosotros-as)	verbo en infinitivo		nos	
(A vosotros-as)			os	
(A ellos/ellas/ustedes)			les	

– **A mí la Historia se me da bastante bien**, ¿y a ti?
• Ni bien ni mal, regular.

Observaciones: Cuando nos referimos a un sustantivo plural, el verbo *dar* también va en plural.
– ¿Qué tal **se te dan las matemáticas**?
– No muy bien.
– **A mí se me dan muy bien** y me gustan mucho.
– ¡Qué suerte!

Verbos recíprocos

Un verbo recíproco sirve para expresar una acción que dos o más personas realizan y reciben mutuamente.

– Julia y Víctor **se conocieron** hace dos años.
  (Julia conoció a Víctor, y Víctor conoció a Julia, hace dos años.)

Pronombres utilizados:

(nosotros/nosotras)	nos
(vosotros/vosotras)	os
(ellos/ellas/ustedes)	se

– Nosotros **nos conocimos** el años pasado.
– Vosotros **os conocisteis** en Sevilla, ¿no?
– Ustedes **se conocieron** en Bogotá, ¿verdad?
– Sofía y Elsa **se conocieron** en el colegio.

La causa: porque - como

Para expresar la causa de algo podemos utilizar:

6.1. PORQUE

Información + **porque** + causa

– Me acosté pronto **porque** estaba cansado.

6.2. COMO

Como + causa, + información

– **Como** estaba cansado, me acosté pronto.

Observaciones:
Las oraciones introducidas por *como* van al principio.
– ~~No pude llamarte como no tenía tu número de teléfono.~~
– **Como** no tenía tu número de teléfono, no pude llamarte.

El superlativo relativo

Sirve para comparar la cualidad de un elemento con la de otros. Podemos usar, entre otras, estas estructuras:

el la ... uno de los una de las ...	+ sustantivo	más menos	+ adjetivo	ø de de todos-as que conozco que he visto

– El país **más** grande del mundo.
– **Uno de los** lugares **más** bonitos **que he visto.**

el la ... uno de los una de las ...	+ sustantivo	que	+ verbo	más menos	+ sustantivo

– Es **la** ciudad europea **que** tiene **más** bares.
– Colombia es **uno de los** países latinoamericanos **que** tiene **más** habitantes.

Qué - cuál/cuáles

Para preguntar por la identidad de personas, lugares o cosas de una misma clase, podemos emplear:

8.1. ¿QUÉ + SUSTANTIVO + VERBO?

– ¿**Qué** camisa prefieres?

8.2.1.

¿Cuál ¿Cuáles	de	ellos ellas		+ verbo...?
		estos estas	+ sustantivo	

¿**Cuál de ellas** prefieres?
– ¿**Cuál de estos ríos** es más largo: el Amazonas o el Orinoco?

8.2. ¿CUÁL/CUÁLES + VERBO?

– ¿**Cuál** prefieres? (de estas camisas)
– ¿**Cuál** es el país más grande del mundo?

Observaciones:

Cuál/cuáles no va seguido de un sustantivo.

– ¿~~Cuál~~ Qué ciudad tiene más habitantes: Montevideo o La Habana?

9 · Interrogativos con preposición

Cuando combinamos una preposición con un interrogativo, la preposición va siempre al principio de la pregunta.

– ¿En qué país está Caracas?
– ¿En cuál de estos países está Acapulco: en Argentina o en México?
– ¿De dónde es Isabel Allende?
– ¿Por qué países pasa el río Amazonas?

10 · Deber (de) - Tener que (probabilidad)

Para expresar probabilidad podemos usar *deber (de)* o *tener que*, seguidos de un verbo en infinitivo.

Tener que introduce un mayor grado de probabilidad.

– ¿Saben ustedes de dónde es Orlando?
· **Debe de ser** argentino o uruguayo.
* No, **tiene que ser** chileno porque tiene el mismo acento que una amiga mía chilena.

11 · Dentro de - A los/las...

11.1. DENTRO DE + CANTIDAD DE TIEMPO

Para fijar un momento o una fecha en el futuro con respecto al presente.

– Terminaré este trabajo **dentro de dos semanas** aproximadamente.

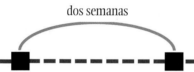

PASADO · PRESENTE · FUTURO

dos semanas

terminar este trabajo

11.2.

Para fijar un momento o una fecha en el pasado con respecto a un momento o fecha anterior.

– Entró a trabajar en Ibertrén en 1998 y **a los cuatro años** la despidieron.
– La despidieron **a los cuatro años de entrar** en Ibertrén.

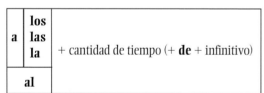

a	los las la	+ cantidad de tiempo (+ **de** + infinitivo)
	al	

PASADO · PRESENTE · FUTURO

cuatro años

1998 entrar · 2002 despedida

12 · Sentimientos

12.1. ALEGRÍA

Para expresar alegría podemos emplear estas frases exclamativas:
– ¡Qué bien!
– ¡Qué alegría!

Con esta construcción exclamativa, expresamos el motivo de nuestra alegría.

¡Cuánto ¡Cómo	+ **alegrarse** (+ **de** + infinitivo)!

– ¡Cuánto me alegro de verte!
· Yo también me alegro mucho (de verte).
– ¡Cómo nos alegramos de estar con usted!

12.2. PENA

Podemos expresar pena con esta construcción:

> **Es una pena/lástima + (no) + infinitivo**

– Es una pena no poder hablar con ella.
• Sí, es una lástima.

O con estas frases exclamativas:
– ¡Qué pena!
– ¡Qué lástima!
– ¡Cuánto/cómo lo siento!

– ¿Has aprobado el examen de inglés?
• No.
– ¡Vaya! ¡Cómo lo siento!

12.3. SORPRESA

12.3.1. Con frases exclamativas.
En una situación no esperada o ante algo no esperado.
* ¡Qué sorpresa!
* ¡Qué casualidad!
* ¡(Hombre, Luis) Tú por aquí!

12.3.2. Con frases interrogativas.
* ¡Ah!, pero ¿(ya) os conocéis?
* ¡Ah!, pero ¿ustedes se conocen (ya)?

12.3.3. También podemos emplear estas construcciones:

(A mí)	**me**		
(A ti)	**te**		
(A él/ella/usted)	**le**	**sorprende**	**que** + subjuntivo
(A nosotros-as)	**nos**	**llama la atención**	
(A vosotros-as)	**os**		
(A ellos/ellas/ustedes)	**les**		

– ¿No **te sorprende que** las comidas **sean** tan tarde?
– **A mí me llama mucho la atención que haya** tantas fuentes en esta ciudad.

Fíjate:
– Me sorprende oír eso. (La misma persona: infinitivo)
  (A mí)   (yo)
– Me sorprende que digas eso.   (Diferentes personas: subjuntivo)
  (A mí)   (tú)

13 Cuantificadores

13.1. DEMASIADO, MUY...

Para cuantificar el significado de los adjetivos podemos emplear:

+ demasiado
muy
bastante
más bien
(un) poco
algo
– nada

– Yo creo que soy muy sensible, bastante cariñosa, pero algo insegura y demasiado tímida.
• Yo también soy muy sensible, pero no soy nada tímido.

13.2. POCO - UN POCO

Solemos utilizar *poco* con adjetivos que tienen sentido positivo.
– Mi vecino es muy **poco responsable**.

En cambio, usamos *un poco* con adjetivos que expresan cualidades negativas.
– Mi vecino es **un poco irresponsable**.

13.3. UN-OS / UNA-S

También podemos combinar adjetivos de sentido negativo con artículos indeterminados.

un-os **una-s**	+ adjetivo

– Mi vecino es **un irresponsable**.

14 Sentimientos y cambios de estados de ánimo

14.1.

Estas construcciones sirven para expresar sentimientos y cambios de estados de ánimo:

(A mí)	**me**		
(A ti)	**te**	da miedo	+ sustantivo singular
(A él/ella/usted)	**le**	pone nervioso-a	
(A nosotros-as)	**nos**	preocupa	
(A vosotros-as)	**os**	molesta	+ infinitivo
(A ellos/ellas/ustedes)	**les**	...	

– ¿**A ti te da miedo** la muerte?
• Sí, muchísimo. ¿Y a ti?
– Pues **a mí no me da miedo** pensar en ella.

Observaciones:
Usamos el infinitivo cuando la persona que realiza la acción y la que experimenta el sentimiento son la misma.
  sentimiento   acción
– **Me pone nervioso hacer** cola.
  (A mí)   (yo)

14.2. Cuando expresamos la causa con un sustantivo plural, el verbo utilizado para expresar el sentimiento también va en plural:

– Me **dan miedo los aviones**.

14.3. También podemos emplear los verbos *poner, preocupar, molestar y enfadar* con pronombres reflexivos (*ponerse, preocuparse, molestarse y enfadarse*):

Me pongo nerviosa Me preocupo Me molesto Me enfado	cuando si	haces eso pasan esas cosas

– Yo **me pongo** un poquito **nervioso cuando no entiendo** lo que me dicen.
• Yo, en cambio, **me pongo** bastante **nerviosa cuando no puedo** decir lo que quiero decir.

15 Deseos

15.1. EXPRESAR DESEOS

Desear Querer Esperar Tener ganas de	que + presente de subjuntivo

¡**Ojalá (que)** + presente de subjuntivo!

– **Deseo que** la gente **viva** cada vez mejor.
– ¡**Ojalá haya** trabajo para todos algún día!

Observa estas frases:
– **Deseo tener** más tiempo libre. (La misma persona: infinitivo)
(Yo)

– **Deseo que tengas** más tiempo libre. (Diferentes personas: presente de subjuntivo)
(Tú)

15.2. EXPRESAR DESEOS A OTRA PERSONA EN DETERMINADAS SITUACIONES SOCIALES

¡Que + presente de subjuntivo!

– ¡**Que aproveche!** (antes de comer).
– ¡**Que cumpla**(s) muchos años/más! (en un cumpleaños).
– ¡**Que** te/le **vaya** bien! (en una despedida).
– ¡**Que** te **mejores!** (a un enfermo).
...

16 Oraciones temporales: secuenciar actividades futuras

Para secuenciar actividades futuras podemos usar estas construcciones:

Cuando En cuanto	+ presente de subjuntivo, futuro simple

– **En cuanto** me **saque** el carné de conducir, me **compraré** un coche. Luego, **cuando tenga** coche, **iré** a verte más a menudo.

También podemos emplear estas construcciones:

futuro simple	antes de + después de hasta	+ que	+ presente de subjuntivo

– Creo que **volveré antes de que llegue** Paco.
– Te **esperaré hasta que vuelvas**.

Observa:
– Te llamaré | antes / después | de | salir. (La misma persona: infinitivo)
(Yo) | | | (Yo)
– Te llamaré | antes / después | de que | salgas. (Diferentes personas: presente de subjuntivo)
(Yo) | | de | (Tú)

17 Consejos y recomendaciones

17.1. PEDIR CONSEJO

Cuando pedimos consejo para solucionar un problema, primero explicamos este y, luego, podemos decir:

– No sé qué hacer. ¿Tú qué harías?
– ¿Qué haría usted en mi lugar?
– ¿Qué me aconseja(s)?

17.2. DAR CONSEJOS Y HACER RECOMENDACIONES

17.2.1. Con imperativo.

Es frecuente el uso del imperativo para dar consejos y hacer recomendaciones en situaciones en las que existe un grado de confianza o familiaridad entre los hablantes.

– **Tómate** unos días libres y **descansa**.

Muchas veces añadimos una explicación que introducimos con la conjunción *que*, con valor causal.

– **Practique** la natación, que es un deporte muy completo.

17.2.2. Con condicional: ponerse en lugar del otro.

Yo, en tu/su lugar, Yo que tú/usted, Yo	+ condicional simple

– **Yo, en tu lugar**, **cuidaría** la alimentación y **haría** ejercicio.

17.3. REACCIONAR ANTE UN CONSEJO

17.3.1. Aceptarlo.

¡Ah! Pues, mira,	me parece una buena idea. voy a ver si (me) da resultado.

– No sé... haz yoga, apúntate a un cursillo de yoga, que seguro que te va muy bien.

• **¡Ah! Pues, mira, me parece una buena idea.**

17.3.2. Rechazarlo.

Si ya lo	hago, he hecho,	pero sigo igual.

Si ya lo he intentado, pero (es que) no puedo.
Es que...

– Yo me acostaría antes y me levantaría temprano para hacer ejercicio antes de ir a trabajar.

• **Si ya lo he intentado, pero es que no puedo.**

18 Estilo indirecto

Cuando referimos las informaciones dichas anteriormente por nosotros o por otra persona, mantenemos su sentido pero adaptamos las palabras a la nueva situación de comunicación.

18.1. CAMBIOS DE PALABRAS

He aquí algunos de los cambios más comunes que se producen cuando el verbo introductor va en indefinido o en imperfecto [dijo, decía]:

	ESTILO DIRECTO	ESTILO INDIRECTO
Sujeto	yo	él/ella
	nosotros-as	ellos-as
Referencias temporales	hoy	ayer, aquel día
	ayer	anteayer, el día anterior
	anoche	anteanoche, la noche anterior
Referencias espaciales	aquí	aquí, allí
Posesivos	mi	su
	mío-a	suyo-a
	nuestro-a	su, suyo-a
Demostrativos	este	este, ese, aquel

18.2. TRANSFORMACIONES VERBALES

Pueden producirse en varios casos. He aquí algunos de ellos:

1. Cuando las circunstancias temporales han cambiado y no relacionamos la información con el presente.
   – "Hoy estoy contentísima." → (Ayer) Dijo que **estaba** contentísima.

2. Cuando las circunstancias temporales no han variado, pero queremos resaltar que estamos refiriendo lo dicho por otra persona.
   – Ernesto Sábato: "El arte puede llegar donde no llega la lógica." → Ernesto Sábato dijo que el arte **podía** llegar donde no **llegaba** la lógica.

Observa algunos de los tiempos verbales que podemos emplear en estilo indirecto, con la información introducida por *dijo* o *decía*.

ESTILO DIRECTO	ESTILO INDIRECTO
presente	imperfecto (o presente)
perfecto	pluscuamperfecto, indefinido (o perfecto)
indefinido	pluscuamperfecto (o indefinido)
imperfecto	imperfecto
pluscuamperfecto	pluscuamperfecto
futuro	condicional (o futuro)

– Antonio Machado: "En mi soledad he visto cosas muy claras que no son verdad." →Antonio Machado dijo que en su soledad **había visto** cosas muy claras que no **eran** verdad.

19 Transmitir palabras de otros

19.1. PEDIR QUE SE TRANSMITA UN MENSAJE

19.1.1. Informaciones.

> **Decir que** + indicativo

   – ¿**Puede(s)/Podría(s) decirle**, por favor, **que** le **ha llamado** Araceli y **que llamará** más tarde?

19.1.2. Peticiones.

> **Decir que** + subjuntivo

   – ¿**Puede(s)/Podría(s) decirle**, por favor, **que pase** por la agencia de viajes antes de las siete?
   – **Dile/Dígale**, por favor, **que** me **llame** cuando vuelva, que necesito hablar con él.

19.2. TRANSMITIR INFORMACIONES

A. Decir.
   – Ha llamado Juana y **ha dicho que** el mes que viene **va a ir** a Bolivia por cuestiones de trabajo.

B. Comentar.
   – He hablado con Miguel y **me ha comentado que está** muy contento en su nuevo trabajo.

C. [Decir/Comentar]: que.
   – Ha llamado Raquel: **que se ha sacado** el carné de conducir y **que se va a comprar** un coche.

19.3. TRANSMITIR PREGUNTAS

19.3.1. Con *si* [para preguntas cuya respuesta es "sí" o "no"].
   – Ha llamado Carmela. Ha preguntado **si** vas a ir a la piscina mañana.

19.3.2. Con interrogativos.
   – Pepa me **ha preguntado que cuándo** nos vamos a cambiar de casa.
   Observaciones: El uso de *que* con otras partículas interrogativas [*que sí, que cuándo, que cómo*...] es más frecuente cuando hablamos que cuando escribimos.

19.4. TRANSMITIR PETICIONES

Decir Pedir Querer	**que** + subjuntivo

   – Ha llamado Rosa: **ha dicho que** no la **esperes** en el restaurante porque hoy tiene mucho trabajo y no va a poder llegar antes de las tres.
   – Ha llamado Ángela y me **ha pedido que** le **envíe** un fax con todos los datos.

20 Impersonalidad

20.1. SE

Para referirse a las personas en general, sin excluir a nadie.

$$\boxed{\textbf{Se} + 3^{\underline{a}} \text{ persona del singular/plural}}$$

– **Se vive** mejor en una ciudad pequeña que en una grande.

$$\boxed{\textbf{Se} + 3^{\underline{a}} \text{ persona singular}^* + \text{infinitivo}}$$

* De verbos como *soler, poder, necesitar, tener que,* etc.
– Para expresar "no lo sé", **se levantan** los hombros y **se hace** este gesto con la cara...
– En los lugares públicos **se suele ceder** el asiento a las personas mayores.

20.2. LA GENTE, LA MAYORÍA DE LA GENTE, TODO EL MUNDO

El hablante se refiere a las personas en general, pero se excluye a sí mismo y también excluye al interlocutor.

– Aquí **la gente** es muy amable.
– **Todo el mundo** está encantado con el nuevo director.

20.3. UNO/UNA + 3ª PERSONA DEL SINGULAR

El hablante pone énfasis en sí mismo, se implica en la acción.

– En una gran ciudad **uno tiene** menos relación con la gente, **habla** menos con ella.

20.4. TÚ

El hablante se refiere también a su interlocutor, quiere implicarle en la acción.
– En una ciudad **tienes** una oferta cultural mucho más amplia que en un pueblo.

20.5. 3ª PERSONA DEL PLURAL

Para referirnos a las personas en general, excluyéndonos a nosotros mismos y al interlocutor.
– **Dicen** que el verano que viene hará mucho calor.

Observaciones:
- Con los verbos reflexivos no usamos *se* para expresar impersonalidad; en su lugar empleamos *la gente, uno/una* o *tú.*
  – Aquí | la gente | se acuesta muy tarde.
  ___ | uno |
  – Aquí te acuestas muy tarde.
- El uso de *uno/una* y *tú* es más frecuente en la lengua hablada que en la escrita.

21 Opiniones

21.1.

Para expresar nuestras opiniones podemos utilizar las siguientes construcciones:

(Yo) Creo/pienso/opino (A mí) Me parece	que	+ indicativo
En mi opinión, Para mí,		

– **Yo pienso que** se **vive** más libremente en un pueblo que en una ciudad.

21.2.

Cuando negamos los verbos utilizados para introducir una opinión, empleamos el subjuntivo.

(Yo) No creo/pienso/opino (A mí) No me parece	que	+ subjuntivo

– **Yo no creo que** se **viva** más libremente en un pueblo que en una ciudad.

22 Acuerdo y desacuerdo

Para expresar diversos grados de acuerdo y desacuerdo con lo dicho por otra persona, podemos usar estas expresiones:

Acuerdo total	Acuerdo parcial	Desacuerdo total
Sí, de acuerdo. tiene(s) razón. es verdad/cierto. claro. por supuesto. desde luego. Yo estoy de acuerdo con*...	(Bueno,) Depende. Puede ser. Es posible. ¿Tú crees?	(Pues) Yo no lo veo así. ¡Qué va! (Pues) Yo no estoy de acuerdo con*...

* Observa en la actividad 9a] de la lección 9 cómo podemos emplear la expresión **estar de acuerdo con**.

– **A mí me parece que**, en general, se vive mejor en los pueblos que en las ciudades.
· **Sí, desde luego**; la calidad de vida es más alta en los pueblos.
* **Pues yo no lo veo así**. Yo creo que....

23 Lo

El artículo neutro *lo* no puede combinarse con sustantivos, porque no hay sustantivos de género neutro en español. Es invariable y lo utilizamos para referirnos a algo que no podemos o no queremos nombrar con un sustantivo. Puede formar parte de diferentes construcciones; he aquí algunas de ellas:

23.1. PARA REFERIRNOS A ALGO YA MENCIONADO O QUE CONSIDERAMOS QUE CONOCE EL INTERLOCUTOR

Lo de +	nombre propio sustantivo

– ¿Te has enterado de **lo de Rafa**?
· Sí; ¡qué suerte ha tenido!
Pues yo no estoy de acuerdo con **lo de la cena**.

23.2. LO DE QUE + INFORMACIÓN

– Yo no estoy de acuerdo con **lo de que todas las ciudades están contaminadas**.

23.3. LO QUE + VERBO

– Estoy completamente de acuerdo con **lo que dice** usted.

24 Ceder la elección al interlocutor

24.1. CUANDO HAY QUE ELEGIR ENTRE VARIAS COSAS DE DISTINTA CLASE

– ¿Qué hacemos mañana?
· **Lo que** tú quieras.
          usted quiera.

24.2. CUANDO HAY QUE ELEGIR ENTRE COSAS DE LA MISMA CLASE

– ¿Qué **película** vemos?
  ¿Cuál (de ellas) vemos?
· **La que** prefieras.

– ¿Qué **periódico** compramos?
  ¿Cuál (de ellos) compramos?
· **El que** | quieras.
           | más te guste.

– ¿A qué **sesión** vamos?
  ¿A cuál (de ellas) vamos?
· **A la que** | prefieras.
            | te vaya bien.

24.3. CUANDO EN LA PREGUNTA NO SE PROPONE NADA

– ¿**Dónde** nos vemos?
• **Donde** |prefieras.|
           |te vaya bien.|

– ¿**A quién** invitamos?
• **A quien** quieras.

24.4. CUANDO EN LA PREGUNTA SE PROPONE UNA OPCIÓN (O VARIAS)

– ¿Quedamos el sábado (o el domingo)?
• **Cuando**/**Como** quieras.

Observaciones:
Cuando se especifica una o varias opciones en la pregunta, podemos responder "como quiera(s)".
– ¿Volvemos el lunes (o el martes)?
• **Cuando**/**Como** quieras.

25 Ser - estar

25.1. VALORAR Y DESCRIBIR ACTIVIDADES Y PRODUCTOS CULTURALES

SER	ESTAR
Ser bueno/malo/horrible (valoración de tipo más objetivo)	**Estar bien/mal** (valoración con un matiz más subjetivo)

– ¿Qué tal es la última película de Fernando León?
• **(Es) Buenísima**. Es una comedia muy original y muy imaginativa sobre...

– ¿Qué tal es la última película de Fernando León?
• **Está muy bien**. A mí me gustó muchísimo. Es una comedia...

25.2. HABLAR DE NORMAS SOCIALES: VALORARLAS

SER	ESTAR
Es de mala educación + infinitivo	(No) **Está bien/mal visto** (No) **Está socialmente aceptado** + infinitivo

– **Es de mala educación** hablar con la boca llena.

– No está bien visto preguntarle a alguien cuánto gana.

Sustantivo +	(No) **Estar bien/mal visto-a-os-as** (No) **Estar socialmente aceptado-a-os-as**

– En mi cultura la impuntualidad **no está socialmente aceptada.**

26 Valoración de acciones

26.1.

Cuando valoramos acciones y especificamos quién las realiza, utilizamos el subjuntivo.

A	mí	me		gracioso	
	ti	te		curioso	
	él/ella/usted	le	parece	interesante	que + subjuntivo
	nosotros-as	nos		bien	
	vosotros-as	os		mal	
	ellos/ellas/ustedes	les		...	

– **A mí me parece muy curioso** que la gente **salga** tanto en esta ciudad.

26.2.

Ser + adjetivo + que + subjuntivo

Es	lógico natural curioso interesante ...	que + subjuntivo

– Como hace tan buen tiempo aquí, **es lógico** que la gente **salga** tanto.

Observaciones:
Cuando valoramos acciones y no especificamos quién las realiza, empleamos el infinitivo.
  Es muy interesante descubrir otras culturas y costumbres.

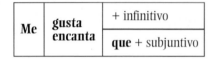

Expresar gustos

Me	gusta encanta	+ infinitivo
		que + subjuntivo

– **A mí me encanta que** la gente de mi clase **tenga** costumbres diferentes a las mías.

Fíjate:
– **Me gusta** mucho **visitar** a mis amigos. (La misma persona: infinitivo)
  (A mí)   (Yo)

– **Me gusta** mucho que mis amigos **me visiten**. (Diferentes personas: subjuntivo)
  (A mí)   (Ellos)